Les nouvelles techniques de marketing

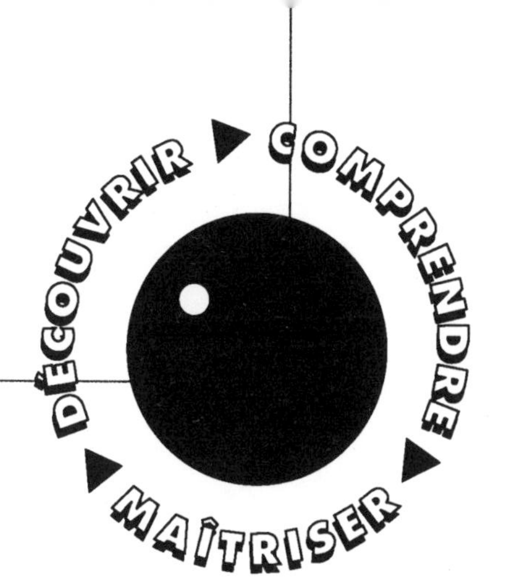

Les nouvelles techniques de marketing

D. BILLON J-M. TARDIEU

Collection DCM
TOP Editions

ISBN : 2.8773.1151-1

Sommaire

COMPRENDRE

MAÎTRISER

DÉCOUVRIR

"Le plus grand danger aux époques de turbulence,
ce n'est pas la turbulence, c'est de réagir avec les logiques d'hier."

Tom Peters cité par Christian Blanc et Thierry Breton*

---

* in Le lièvre et la tortue : Éditions Plon, 1994.

Introduction

"Ce qui peut paraître utopique, on en parlera dans dix ans comme d'évidences."
Jacques ATTALI[1]

"La recherche de l'instantanéité et de la simultanéité est devenue dans les années 90 l'équivalent de la quête du Graal."
Regis Mc KENNA[2].

L'environnement a changé, le Marketing doit changer.

Nous assistons à l'effondrement du temps et de l'espace. Ce bouleversement sans précédent dans l'histoire humaine peut être illustré par trois objets symboliques des révolutions des vingt dernières années, qui ont profondément modifié notre rapport au temps et à l'espace, et par une mutation majeure : la révolution numérique et l'Internet.

– Le magnétoscope, au début des années 80.

Pour la première fois, l'individu pouvait se libérer du temps vis-à-vis du robinet télévisuel diffusant les mêmes émissions d'information ou de distraction à tous au même moment. La libération était double : je regarde ce que je veux (émission préalablement enregistrée à la télévision ou cassette enregistrée) et quand je veux (grâce à la programmation du magnétoscope et la boutique de location de vidéocassettes). Un service collectif (émission de télévision) était remplacé par un objet privé (la cassette).

– L'ordinateur personnel, au milieu des années 80.

L'homme inventait un outil capable de développer ses capacités de réflexion et de simulation. Un véritable "ULM de l'esprit".
Comme le souligne Joël de Rosnay : *"L'ordinateur émerge comme un outil de prédilection dans l'observation et la simulation de l'infinie complexité du vivant, de la société, de l'écosystème. Et surtout comme un outil opérationnel pour agir sur elle... L'ordinateur contracte ou dilue le temps et l'espace, rendant perceptibles des évolutions trop lentes ou trop rapides pour notre cerveau[3]".*

---

[1] in Lignes d'horizon, Jacques Attali, Fayard, 1990.

[2] in Real Time, Preparing for the age of the never satisfied consumer, Regis Mc Kenna, Harvard Business School Press, 1997.

[3] in L'homme symbiotique. Regards sur le troisième millénaire. Joël de Rosnay. © Éditions du Seuil, 1995.

– Le téléphone portable, dans la deuxième moitié des années 90.

Il libère l'homme de l'espace. "Et communiquer devient un sixième sens"[1] ...indépendamment du lieu où l'on se trouve.

– Une mutation majeure : la révolution numérique et Internet

"Chaque objet du monde, chaque image inventée dans l'histoire des hommes peuvent être transformées en codes. Tout ce que l'on voit, tout ce qu'on dit, tout ce qu'on lit est traduit en une chaîne d'octets constituée d'une suite de zéros et uns."[2]

Cette révolution nous fait entrer de plain-pied dans une économie du temps réel. Des millions d'ordinateurs reliés entre eux, permettent aux hommes et femmes de communiquer en temps réel.

Consommateurs et managers sont plongés dans cette économie du temps réel, fruit des amours incestueuses de l'informatique et des télécommunications.

Désormais familiarisé avec le magnétoscope, le micro-ordinateur, le téléphone portable, la carte de crédit et l'information en temps réel sur le câble ou le satellite, le consommateur demande, voire exige une satisfaction immédiate.

Les managers se lancent dans une véritable course pour imaginer des concepts, mettre en œuvre de nouvelles méthodes, appliquer de nouvelles techniques pour satisfaire plus vite et mieux que la concurrence un consommateur jamais satisfait.

Le marketing, dont la justification première était de s'adapter aux besoins et aux attentes du consommateur, ne pouvait échapper à ce cortège de bouleversements. Il fait aujourd'hui sa révolution...

---

[1] Slogan publicitaire de Bouygues Telecom.

[2] in La planète cyber, Jean-Claude Guedon. Découvertes Gallimard, 1995.

Chapitre I

CONCEPTION ET PHILOSOPHIE DU MARKETING

"Ce dont nous sommes persuadés, c'est que le marketing et la distribution sont des valeurs essentielles, tout simplement parce que l'économie n'est pas simplement, comme on le croit trop souvent, un lieu où s'échangent des biens et des flux monétaires, mais un espace sans limites où circulent les désirs."

Jean-Louis Gassée*

DÉCOUVRIR

I Une brève histoire du marketing

A. Des États-Unis à la France

Le marketing est né aux États-Unis à la fin du XIXe siècle. C'est à cette époque que naissent Coca-Cola, les premières agences modernes de communication (Bates, Walter Thomson...) et même les premiers cours de marketing.

Les années 30 voient la création du premier institut de sondages, l'Institut Gallup, l'invention de la fonction de chef de produit chez le lessivier Procter et Gamble et la mise au point du premier panel de distributeur par Nielsen.

Le début des années 50 est marqué par la formulation du concept de marketing-mix, et celui des années 60 par la naissance tumultueuse du mouvement consumériste, à l'origine duquel on trouve l'américain Ralph Nader qui publie un livre sur une automobile de General Motors "Dangereuse à n'importe quelle vitesse".

Les premières entreprises utilisant le marketing étaient de grandes entreprises proposant des produits de grande consommation au "grand public" : les lessiviers (Procter et Gamble, Unilever...) ou des biens d'équipement ménager.

Les prémices du marketing en France apparaissent dès la fin du XIXe siècle : de célèbres cabarets parisiens font appel à des artistes comme Jules Chéret ou Henri de Toulouse-Lautrec pour créer des affiches commerciales, Boucicaut applique les techniques qui feront le succès de la grande distribution dans son grand magasin "Au Bon Marché" immortalisé par Émile Zola dans "Au bonheur des dames".

Mais ce n'est qu'à l'aube des années 60, que s'imposent les éléments nécessaires à une diffusion rapide du marketing dans l'économie française : des agences de communication reconnues, des chaînes de supermarchés, les premiers hypermarchés, des panels de consommateurs, un centre d'étude des supports publicitaires...

* in *La 3e pomme, Micro-informatique et révolution culturelle*, Jean-Louis Gassée, Hachette, 1985.

Les concepts, méthodes et techniques du marketing inventés aux États-Unis sont exportés rapidement vers l'Europe et notamment vers la France grâce à des relais comme la FNEGE*, la CEGOS et les principaux centres français de formation au management : HEC, ESSEC, ESCP... Des enseignants, des cadres, des dirigeants "apprivoisent" le marketing et acquièrent une "culture commune", facilitant notamment les résolutions de problème et la prise de décision de groupe. Segmentation, ciblage, positionnement, marketing-mix, cycle de vie, portefeuille de produits, le paradigme des 4P... font partie de la "boîte à outils" des cadres et dirigeants.

B. De l'économie de production à l'économie d'environnement

Durant les cinquante dernières années, l'économie a connu quatre périodes très différentes.

1. L'économie de production

La demande est supérieure à l'offre. Le facteur clé de succès pour l'entreprise est de savoir produire en grande quantité un très petit nombre de produits, avec un niveau de qualité correcte. Lorsque le client commande sa 2CV Citroën, il a le choix entre bleu et... bleu et doit attendre deux à trois mois avant de prendre possession de sa voiture.
Le personnage clef est l'ingénieur.

2. L'économie de distribution

Offre et demande sont à peu près égales. L'enjeu pour l'entreprise est de vendre les produits qu'elle a fabriqués en grande quantité grâce à la production de masse, rendue possible par le machinisme et le taylorisme. C'est l'époque à laquelle les réseaux de distribution se développent le plus vite. Les exemples de Renault au début des années 70, qui mettait en avant la couverture exceptionnelle du territoire national par son réseau de "garages", ou du Crédit Agricole "Le bon sens près de chez vous", illustrent bien cette période.
Le personnage clef est le vendeur (souvent formé aux "techniques de vente" à "l'école américaine").

3. L'économie de marché

L'offre des entreprises est désormais largement supérieure à la demande des consommateurs. De nombreux marchés arrivent à maturité. La concurrence devient plus rude.
Une analyse fine du marché devient nécessaire pour adapter son offre (produits, services, prix) et ses moyens d'action (communication, distribution) aux attentes de plus en plus diversifiées des consommateurs. Les fabricants découvrent les joies de la segmentation de marchés, élargissent leur gamme, cisèlent leurs plans médias, apprennent à travailler avec de nouveaux acteurs de plus en plus puissants : les chaînes d'hypermarchés et les grandes surfaces spécialisées. C'est la période où les gammes de produits sont les plus fournies et où les réseaux de distribution ont atteint leur extension maximale.
Le personnage clef est l'homme de marketing.

4. L'économie d'environnement

Confrontée à un monde devenu complexe et incertain, l'entreprise ne peut plus se contenter de focaliser son attention et ses ressources sur la seule relation entreprise-marché.
Elle doit intégrer les stratégies d'autres acteurs susceptibles d'avoir un impact sur sa réussite : distributeurs devenus très puissants, actionnaires pouvant désinvestir ou réinvestir des millions de francs en quelques minutes (les fonds de pension américains par exemple), asso-

* Fondation Nationale pour l'Enseignement de la Gestion des Entreprises.

ciations de consommateurs, groupements écologistes susceptibles de lancer des campagnes de boycott redoutables en terme d'image et de retombées presse... Elle doit également prendre en compte d'autres dimensions de l'environnement : politique, légale et bien sûr technologique.

Apparaissent de nouvelles pratiques inimaginables quelques années plus tôt.
C'est notamment le cas de stratégies d'alliance qui réunissent des acteurs très différents – Mercedes et le patron de Swatch s'associant pour imaginer, produire et mettre sur le marché la Smart (ex - Swatchmobile), ou des entreprises concurrentes : Apple et IBM s'associant avec Motorola pour la mise au point de la puce PowerPC, concurrente du Pentium d'Intel ; Peugeot, Fiat et Citroën créant ensemble un nouveau monospace ; Apple et Microsoft signant en juillet 1997 un accord dans lequel Microsoft, en échange de l'abandon par Apple des multiples procédures juridiques engagées contre l'inventeur du DOS et de Windows investissait quelques millions de dollars dans le capital de la firme californienne, et promettait de relancer les développements sur Macintosh (suite bureautique Office, navigateur Explorer...), ce qui contribua énormément à restaurer la crédibilité de la plate-forme Macintosh.

C'est également une époque de rationalisation : les constructeurs coupent dans le vif pour réduire leurs gammes de produits devenus pléthoriques, restructurent leur réseau de distribution et deviennent sensibles à de nouveaux modèles économiques, comme la fabrication à la demande.

C. L'extension du champ d'activité du marketing

Le champ d'activité du marketing s'est étendu :

– dans le secteur commercial

Né dans le berceau des produits de grande consommation*, il a rapidement séduit les fabricants de biens d'équipement des ménages (Philips, Renault...).

Puis le marketing industriel s'est développé. Et, sous l'impulsion de géants américains (Mc Donalds, Hertz, Midas...) ou français (le groupe hôtelier Accor...), le marketing a envahi le domaine des services marchands : établissements financiers, entreprises de transport, entreprises de télécommunications...

Enfin, la révolution d'Internet permet l'émergence d'une véritable place de marché virtuelle à côté de celle qui nous est familière depuis plus de 2000 ans. D'où l'émergence de nouveaux concepts, de nouvelles méthodes, de nouveaux outils pour développer des stratégies marketing gagnantes sur ces nouveaux marchés.

– dans le secteur à but non lucratif

Les "associations à but non lucratif" (humanitaires, religieuses, sportives, culturelles, politiques...), l'Etat et les collectivités locales ont avec plus ou moins de succès fait l'apprentis-

* La plupart des entreprises "stars" du marketing appartiennent encore à ce secteur : L'Oréal, Danone, Procter et Gamble, Unilever, Mars, Coca-Cola...

sage du marketing : élections présidentielles, campagnes contre le Sida, développement économique d'une ville ou d'un département[1]...

Que peut-on conclure de ce rapide historique ?

– Le marketing est indissociable de la notion d'échange. Comme le souligne Philip Kotler : "Marketing et marché apparaissent comme deux notions indissociables : le marketing s'intéresse à des marchés, définis par des possibilités d'échange en vue de satisfaire des besoins et des désirs"[2].

La sphère du marché, au sens de Kotler, s'est considérablement étendue au cours des trente dernières années. Le marketing apparaît quand le producteur est en position de faiblesse par rapport au consommateur. Dans une situation de monopole et de pénurie, il n'est pas nécessaire d'investir dans le marketing. Or, on a assisté dans de nombreux pays du monde et dans la plupart des secteurs de l'économie à un spectaculaire renversement du rapport de force entre producteurs et consommateurs : l'offre de produits et de services est aujourd'hui largement supérieure à la demande solvable. La diffusion rapide du marketing est la conséquence de ces phénomènes.

– On est passé en quelques années d'entreprises centrées sur la fabrication d'un produit à des organisations soucieuses de créer une offre supérieure à la concurrence aux yeux des consommateurs.

II Des cadres de référence stables pendant des années

A. Les 4 phases de la démarche marketing

La démarche marketing est traditionnellement composée de 4 étapes :

① Analyse-diagnostic ;
② Fixation des objectifs ;
③ Choix des options stratégiques fondamentales ;
④ Formulation et évolution du marketing-mix.

Étape 1 : analyse-Diagnostic

• L'analyse externe est centrée sur l'étude du marché et de la concurrence.

On y analyse les points suivants :

A - L'environnement

Identification des points importants de l'environnement (technologique, juridique, politique, économique, socio-culturel) susceptibles d'avoir un impact sur le marché et l'entreprise.

B - Le marché

– Structure et évolution du marché en volume et en valeur, par produits.
– Nombre et profil des acheteurs.
– Segmentation du marché : critères pertinents, poids et évolution des différents segments.
– Évolution des prix.

[1] Voir notamment l'impact du succès du Futuroscope dans l'essor économique du département de la Vienne.
[2] In *Marketing Management*, Philip Kotler, Bernard Dubois, Publi-Union Éditions, 9e édition, 1997.

C - Le consommateur

– Comportement d'achat et de consommation ou d'utilisation : qui achète, quel produit, où, quand, comment ? Quels sont les différents acteurs du processus d'achat (existence éventuelle de prescripteurs...).
– Freins, motivations, critères de choix...

D - La distribution

Structure et évolution de la distribution.
Principaux acteurs : poids, stratégie, politique de référencement...
Le but de cette analyse est de repérer les opportunités et les menaces et d'identifier les facteurs clefs de réussite.

E - La concurrence

– La concurrence indirecte :
Identification des biens et services susceptibles de susciter des besoins et désirs proches du produit ou service que l'on étudie.
Structure et évolution du poids de ces concurrents indirects.

– La concurrence directe :
Structure et évolution du poids des différents acteurs.
Points clefs de leur stratégie marketing.
Évolution probable de leur stratégie dans les années à venir.

- **L'analyse interne est axée sur l'entreprise.**

Analyse quantitative des performances de l'entreprise :
– Structure et évolution des ventes par produit.
– Structure et évolution des ventes par segment de clientèle.
– Part de marché par produit en volume et en valeur globalement et par segment de clientèle.
– Analyse de la clientèle.
– Présence dans les circuits de distribution (par type, par enseigne).
– Analyse de la rentabilité des produits et de leur contribution au résultat de l'entreprise.

Analyse marketing :
– Notoriété (évolution dans le temps, valeur par rapport aux principaux concurrents...).
– Attributs de l'image de marque. Points forts, points faibles.
– Analyse des différents éléments du marketing mix (gamme de produits et services, prix, distribution, communication).

Ressources pour le(s) produit(s) ou service(s) :
– Argent.
– Outil de production.
– Commerciales (force de vente...).

- **Le diagnostic**

L'analyse externe (marché, concurrence) et l'analyse interne permettent de formuler un diagnostic identifiant clairement :

– les facteurs clefs de réussite sur le marché étudié
– les opportunités et contraintes
– les forces et faiblesses de l'entreprise

Étape 2 : fixation des objectifs

Quelle que soit leur nature, des objectifs doivent remplir un certain nombre de conditions. Ainsi "Augmenter les ventes" n'est pas un objectif.
En revanche, "atteindre une part de marché de 10 % (au lieu de 5 % actuellement) à la fin du 1er semestre fiscal" est un objectif, car il est quantifié et inscrit dans le temps, ce qui permet, par exemple, de savoir si à la date fixée, l'objectif est atteint ou non.
D'une manière générale, des objectifs doivent être :
– quantifiés
– inscrits dans le temps
– réalistes
– hiérarchisés
– cohérents

Dans le cadre d'une stratégie marketing, trois types d'objectifs sont généralement fixés :
① Objectifs commerciaux : ils sont exprimés en volume, en valeur, en part de marché*.
② Objectifs de rentabilité : ils peuvent être exprimés en profit, en rendement des capitaux investis, ou en contribution aux frais généraux et aux profits de l'entreprise.
③ Objectifs marketing : ils concernent la notoriété (de l'entreprise, d'une des marques de l'entreprise, ou d'un produit), les composantes de son image de marque et la mesure de la satisfaction. Ces objectifs peuvent concerner les clients finaux, les distributeurs, les prescripteurs.

Le responsable marketing doit ensuite définir la position qu'il souhaite occuper sur le marché. Il a le choix entre quatre stratégies génériques : leader, challenger, suiveur, spécialiste.

Étape 3 : choix des options stratégiques fondamentales

Après avoir segmenté le marché, le responsable marketing va choisir à quelles cibles de clientèle il va proposer son offre de produits et de services.

Il décidera ensuite du positionnement de son offre, c'est-à-dire de la place qu'elle doit occuper sur le marché, par rapport aux offres concurrentes dans l'esprit du consommateur.
Il va opter pour une source de volume. Il s'agit de répondre à la question : "à la place de quel produit, le nouveau produit va-t-il être acheté ?"

---

* Lorsqu'une entreprise travaille avec la grande distribution, elle définit des objectifs de distribution numérique et de distribution valeur.
Distribution numérique (DN) d'un produit A : % de points de vente d'un type donné (par exemple, hypermarché) dans lequel le produit A est vendu.
Distribution valeur (DV) : pourcentage des ventes totales de la catégorie de produit réalisé par les points de vente dans lesquels le produit A est vendu.
Exemple : l'entreprise X fabrique des magnétoscopes, qu'elle distribue à travers des hypermarchés. Sa DN est de 40 %, sa DV de 70. Cela signifie que les magnétoscopes X sont présents dans 40 % des hypers, et que les hypermarchés dans lesquels ils sont présents réalisent 70 % des ventes de magnétoscopes (tous constructeurs confondus) réalisées en hypermarchés en France. On peut en tirer la conclusion, que la marque X est surtout distribuée dans les points de vente les plus importants.

Les ressources du consommateur sont en effet limitées en temps et en argent. Tout achat d'un produit implique de renoncer à un autre type d'achat.
Quelles sont les principales options ?
– Entrer en concurrence avec des produits analogues déjà vendus par l'entreprise, on parle alors de "cannibalisation" volontaire.
– Concurrencer des produits de la même catégorie vendus par des concurrents, c'est de la concurrence directe.
– Développer la demande primaire au détriment d'autres catégories de produits.

Enfin, il décide des éléments moteurs de sa stratégie, afin d'affecter ses ressources entre les composantes du marketing mix.

Étape 4 : formulation et évaluation du marketing mix

Pour le responsable marketing, la formulation du marketing mix consiste à définir :
– la politique de produits et de services
– la politique de prix
– la politique de communication
– la politique de distribution

L'évaluation qualitative du marketing mix se fait traditionnellement sur la base de quatre principes :

1. le principe de cohérence

Les décisions prises sur les quatre variables sont-elles cohérentes entre-elles et avec le positionnement choisi ?
La vérification de la cohérence doit porter tant sur l'équilibre entre les efforts prévus sur chacune des variables, que sur l'absence d'incohérence logique entre les décisions prises (vendre un produit de luxe à très bas prix dans les boutiques des stations-service par exemple).

2. le principe d'adaptation

Le mix doit être adapté non seulement aux attentes des consommateurs, mais aussi aux forces et faiblesses de l'entreprise. Si la laiterie XXX invente une nouvelle formule de yaourt, il est peu probable qu'elle puisse se faire référencer en quelques mois dans toute la grande distribution. En revanche, Danone en est capable.

3. le principe de supériorité partielle

Pour attirer le consommateur, pour rendre son produit ou son service plus désirable pour le consommateur, le responsable marketing doit mettre en évidence au moins un élément de supériorité de son offre par rapport aux offres concurrentes.

4. le principe de sécurité

Le mix choisi doit donner des résultats acceptables, même si certaines des hypothèses de base ne se réalisent pas ou pas complètement.

L'évaluation quantitative d'un mix consiste à concevoir des simulations pour évaluer les résultats qu'il pourrait permettre de dégager. Les méthodes les plus couramment utilisées sont celles des budgets prévisionnels et de calcul du point mort.*

---

* Le lecteur soucieux d'approfondir ces différents points se reportera au Mercator. *Théorie et pratique du marketing*, Jacques Lendrevie, Denis Lindon, Dalloz, 5e édition, 1997.

B. Le cycle de vie

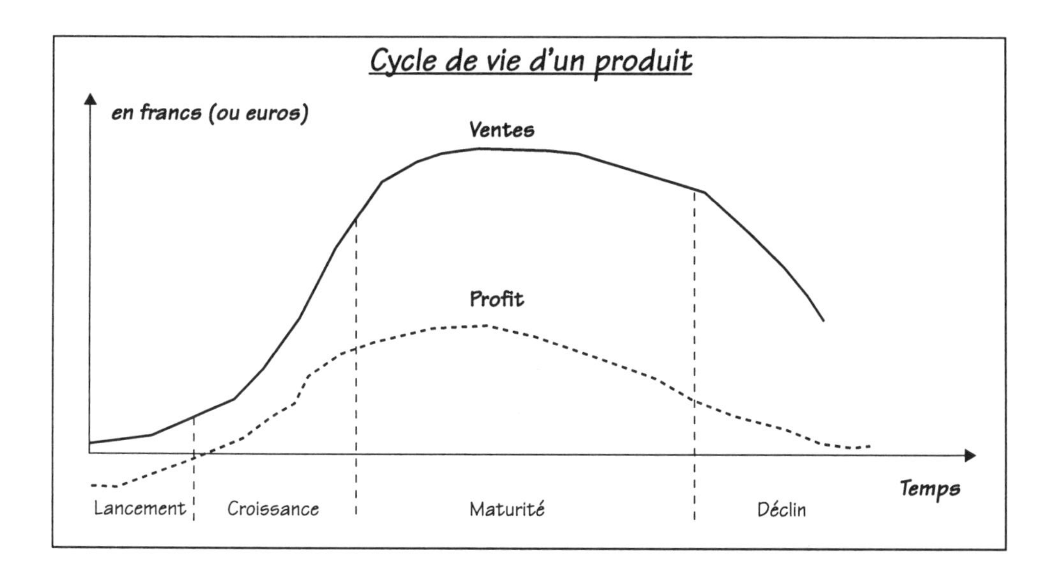

L'idée est qu'un produit, tout comme un être humain, traverse différents stades d'évolution. On distingue 4 phases : lancement, croissance, maturité, déclin.

Quels sont les principales utilisation du cycle de vie ?

1. Se préparer aux phases à venir de l'évolution du marché

Les cibles de clientèle, les choix en terme de marketing mix sont différents selon les phases du cycle de vie du produit, ou d'une famille de produits.

Exemple : le marché micro-informatique.
En phase de lancement au milieu des années 70, dominé par Apple, Tandy, Commodore, ce marché évolue rapidement dans les années 85 à 90.

Cibles des constructeurs : les entreprises pour les applications traditionnelles de gestion et de comptabilité, et les "travailleurs du savoir" (cadres, consultants, experts, professions intellectuelles...), soucieux d'être les premiers à acheter et à utiliser ces ordinateurs, signes extérieurs de modernité, d'esprit d'innovation...

Marketing mix : les principaux constructeurs, IBM, Apple, Compaq, Hewlett-Packard proposent alors des gammes de produits réduites à des prix élevés (les modèles vendus coûtaient entre 25 et 50 000 F hors-taxes), diffusés essentiellement par un réseau de revendeurs spécialisés, renforcés éventuellement sur le marché des grands comptes, par une force de vente directe.

Les taux de croissance du marché étaient spectaculaires, caractéristiques de la deuxième phase du cycle de vie d'un marché : la croissance.

Que s'est-il passé ensuite ?

Certains constructeurs ont anticipé l'élargissement de la clientèle au grand public. Donc vendre à des personnes plus nombreuses, mais soucieuses d'acheter des produits plus simples, nettement moins chers et dans des réseaux de distribution familiers. En 1998, les plus grands distributeurs de micro-informatique en France s'appellent Auchan, Carrefour, la FNAC ou Boulanger.

Comment les différents constructeurs ont-ils géré cette évolution du marché ?
Le gagnant le plus spectaculaire est Compaq : il a su, bien avant les autres, anticiper l'évolution vers un marché de masse, concevoir des produits adaptés, apprendre rapidement à travailler avec la grande distribution (spécialisée et alimentaire), réduire spectaculairement ses coûts de production et de distribution. Résultat : Compaq est le n° 1 de la micro-informatique mondiale, s'est payé le luxe de racheter en 1998 le n° 2 de l'informatique Digital et s'attaque aujourd'hui à de nouveaux marchés (serveurs notamment). Certains voient en lui l'IBM du début du troisième millénaire...
Le perdant le plus médiatisé (jusqu'au spectaculaire rétablissement de 1998) fut Apple : se faisant progressivement grignoter ce qui faisait son avantage concurrentiel (facilité d'utilisation des Macintosh, design innovateur...), le constructeur a proposé des ordinateurs trop chers (pour leur valeur perçue par le consommateur), n'a pas su travailler de manière efficace avec la grande distribution... Sanction : une part de marché qui passe de 15 % à 3 % entre 1984 et 1997.
Deux nouveaux acteurs ont su s'imposer sur ce marché difficile, en changeant les règles du jeu sur le marché :
– Packard-Bell : visant le grand public, il a conçu sa politique marketing autour de la distribution en grande surface. Résultat : il est dans le "Top Five" des constructeurs mondiaux.
– Dell : délaissant la lutte avec IBM, Compaq ou Apple pour conquérir les linéaires encombrés des distributeurs, Michaël Dell fait très tôt le choix de la vente directe et de la fabrication à la demande. Le client commande directement sa machine, qu'il peut faire configurer à sa guise : mémoire, taille du disque dur, logiciels pré-installés... L'analyse de M. Dell est simple : les acheteurs et utilisateurs expérimentés (ceux qui ont déjà acheté et utilisé au moins un ordinateur) n'ont pas forcément besoin des conseils d'un distributeur. Résultat[1] : Dell fait aujourd'hui jeu égal sur le marché américain avec le n° 1 mondial, Compaq. Il affiche des résultats exceptionnels : une part de marché de 10 %, un taux de croissance de 52 %[2], une rentabilité remarquable et figure parmi les cinq marques dont les clients sont régulièrement les plus satisfaits.

2. Agir sur la durée des phases du cycle de vie

Pour un produit donné, la durée d'une phase du cycle de vie dépend de nombreux facteurs : évolution des besoins et désirs des consommateurs, évolution technologique... et politique de l'entreprise.

Exemple : la célèbre Coccinelle de Volkswagen, déjà citée dans les anciens livres de marketing comme un exemple exceptionnel de gestion réussie de la durée de vie d'un produit (plus de 50 ans), refait la une de l'actualité : Volkswagen vient de créer un événement quasi-historique : le retour de la voiture la plus aimée dans l'histoire de l'automobile. Le lancement de la "Volkswagen new Beetle" joue à fond sur la valeur émotionnelle et évocatrice, qui donne au produit une tonalité que la plupart des objets industriels n'ont pas.

---

[1] in *Les Echos*, 20/08/98 cité dans la revue de presse de l'Atelier, 21/08/98.
[2] 1er semestre 98 par rapport au 1er semestre 97.

Quelles sont les limites du concept du cycle de vie ?

– Le raccourcissement spectaculaire du cycle de vie des produits

Ce phénomène est notamment lié à l'évolution rapide de la technologie. Ainsi le cycle de vie commercial d'un caméscope grand public ou d'un micro-ordinateur n'excède-t-il pas 12 mois.

La diffusion du "built to order" ou "fabrication à la demande" impose également ses limites. Des fabricants de plus en plus nombreux, dans les secteurs d'activité les plus divers (textile avec Levi's, informatique avec Dell, Gateway ou Apple, automobile avec la Smart) offrent la possibilité au client d'acheter un produit fabriqué en fonction de ses goûts personnels. Comme chaque client peut acheter un produit personnalisé, la notion de cycle de vie d'un produit perd de sa pertinence.

– Les lois d'évolution des marchés

Elles sont plus complexes.

À l'aube du XXIe siècle, les forces qui s'appliquent aux marchés ressemblent étrangement à celles de la nature : "auto-organisation, autocatalyse, exclusion compétitive, sélection naturelle[1]"...

Qu'observe-t-on ?

"Le produit s'impose, devient obligatoire, et dicte sa loi aux autres générations de produits analogues. L'occupation exclusive d'un secteur par autocatalyse et auto-sélection de tels produits ou services a été nommée par les nouveaux économistes "réaction de lock-in". Expression que l'on peut traduire par phénomène de verrouillage ou de fermeture[2]."

Exemples : le fax, Windows de Microsoft, l'accès à l'Internet et le téléphone portable.

Dans les quatre cas, on assiste aux effets vertueux des lois des rendements croissants :
Plus le nombre d'utilisateurs de télécopieurs augmente, plus les utilisateurs de Windows croissent, plus nombreux sont les ordinateurs connectés à l'Internet, plus les abonnés à un réseau de téléphone portable augmentent, plus la valeur d'usage de chacun de ces produits augmente ; ce qui amène des clients encore plus nombreux à les utiliser (au détriment éventuel de produits ou services concurrents), ce qui permet de créer de nouvelles applications, qui sont à leur tour autant d'incitations à acquérir l'un de ses outils. On parle de développement autocatalytique et d'autosélection...

Interrogez par exemple les concurrents de Microsoft sur le marché des systèmes d'exploitation (MacOS, Unix...), des suites bureautiques (Lotus, Borland, Corel...), ou des logiciels de navigation sur l'Internet (Netscape...) : ils ont été victimes de ce développement exponentiel des ventes des produits Microsoft, et parallèlement à l'autosélection des acteurs sur le marché.

---

[1] et [2] in *L'homme symbiotique. Regards sur le troisième millénaire.* Joël de Rosnay. op. cit. page 7.

C Segmentation, ciblage, positionnement

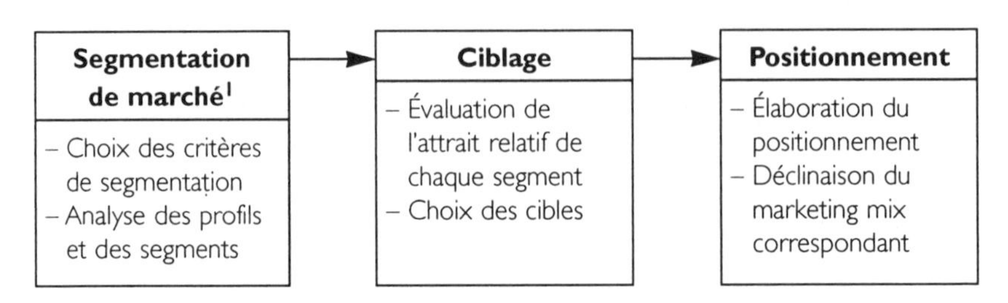

La segmentation de marché

Pour satisfaire n'importe quel marché, une entreprise doit concilier deux contraintes… difficilement conciliables :
– les entreprises sont obligées de standardiser leurs produits pour parvenir à des coûts de revient acceptables,
– les consommateurs sont tous différents.

Face à ces contraintes, l'entreprise peut adopter deux approches :
– identifier des besoins et des désirs largement répandus chez la plupart des gens et lancer un produit qui adresse ce "plus petit commun multiple des besoins" du marché. C'est une simplification du marché. Elle mène à la pointe Bic, au savon de Marseille… ou à la célèbre Ford T, d'Henri Ford.
– "découper le marché en sous-ensembles homogènes significatifs et accessibles à une action marketing spécifique… L'entreprise identifie alors les critères selon lesquels le marché sera analysé et étudie les profils des segments ainsi engendrés[2]."

La segmentation de marché s'est largement développée dans les années 80, car de nombreux marchés arrivés en phase de maturité voyaient leur taux de croissance ralentir.

Les principaux critères de segmentation (sur les marchés de grande consommation) sont résumés dans le tableau suivant[3] :

	Caractéristiques générales liées à l'individu		**Caractéristiques de l'individu, liées à la situation d'achat d'un produit particulier**	
Segmentation	Socio-démographique	Psycho-sociologique	Comportementale	Par avantages recherchés
Critères	Sexe, âge, profession, pcs, revenu	Personnalité, style de vie	Niveau de consommation, fréquence d'utilisation, fidélité à la marque, sensibilité au prix	Variable suivant le produit étudié
	Qui achète ?		*Pourquoi, comment, où achètent-ils où consomment-ils ?*	

[1] et [2] in *Marketing Management*, Philip Kotler, Bernard Dubois, *op. cit.* page 13.
[3] in *Action commerciale*, Daniel Durafour, Dunod, 1994.

Intégrant le pouvoir croissant des distributeurs, et en particulier de la grande distribution, des entreprises, notamment celles gérant un large portefeuille de marques, ont choisi de segmenter par réseau de distribution.

Exemple : le Groupe L'Oréal

Le contrôle de l'ensemble des réseaux de distribution est au cœur de la stratégie de L'Oréal. Le Groupe place ses marques leaders dans chacun des réseaux. Il n'y a pas de "choc frontal" entre deux marques leader du Groupe, car elles sont isolées les unes des autres par les frontières imperméables des réseaux. Cette habile répartition des marques dans les différents réseaux de distribution est à l'origine de la puissance et du succès du Groupe.
L'entreprise est structurée autour de quatre divisions, dont la différence est le circuit de distribution choisi pour la diffusion des produits :
– La division "Produits publics".
Centrée principalement sur la grande distribution, elle pèse plus de 50 % du chiffre d'affaires du Groupe avec une large gamme de marques à forte notoriété : Studio Line, Elsève, Plénitude, Elnett, Garnier, Gemey, Dop...
– La division "Parfums et Beauté"
La distribution est axée essentiellement sur la parfumerie, les grands magasins ou les duty-free. Elle réalise près de 30 % du chiffre d'affaires. Les marques les plus prestigieuses sont : Lancôme, Cacharel, Helena Rubinstein, Biotherm, Guy Laroche, Ralph Lauren.
– La division "Coiffure"
Représentant 12 % du chiffre d'affaires, elle diffuse ses marques dans les salons de coiffure. Les marques les plus présentes sont : L'Oréal Professionnel, Kérastase, Inné et Redken.
– La division "Cosmétique Active"
Centrée sur les pharmacies, elle pèse moins de 6 % du chiffre d'affaires du Groupe. Elle gère trois marques : Vichy, Phas et La Roche Posay.

Les résultats commerciaux et financiers de L'Oréal depuis de nombreuses années démontrent la remarquable efficacité de ce dispositif.
Les limites de ce modèle apparaissent néanmoins dans la mise en œuvre de sa stratégie d'internationalisation, dans des pays nouveaux, où les positionnements des réseaux de distribution sont différents. Ainsi en Asie, le réseau des pharmacies est moins développé qu'en Europe. Les directeurs des marques Vichy et PHAS sont donc tentés de les développer dans d'autres réseaux. Ce que refuse avec fermeté le patron, M. Lindsay Owen Jones, qui exige que la logique *l'oréalienne* des réseaux soit respectée dans le monde entier.

Le ciblage

Après avoir segmenté le marché, l'entreprise doit choisir le ou les segments qu'elle souhaite ciber. La démarche classique consiste à étudier le degré d'attrait de chaque segment à partir d'un certain nombre de critères pertinents (taille, croissance, rentabilité, niveau de risque...) et les objectifs et ressources de l'entreprise. Certains segments de marché sont abandonnés par une entreprise, non à cause de leur manque d'intérêt économique, mais parce qu'il ne correspond pas aux objectifs ou aux ressources de l'entreprise.
L'entreprise choisit ensuite entre cinq stratégies génériques : la concentration sur un couple produit/marché, la spécialisation par produit, la spécialisation par marché, la spécialisation sélective, ou la couverture globale*.

* Pour de plus amples développements, voir *Marketing Management*. Philip Kotler, Bernard Dubois. op. cit. page 13.

Le positionnement :

C'est la "conception d'un produit (ou d'un service) et de son image dans le but de lui donner une place déterminée dans l'esprit du consommateur cible"[1].

Un exemple de positionnement réussi : Ericsson[2]

Malgré son refus d'intégrer ses appareils dans les "packs" proposés à prix bradés qui tirent la croissance du marché de la téléphonie portable, Ericsson affiche des performances susceptibles de faire pâlir ses concurrents américains, japonais et européens.
Les chiffres du succès :
20 % du marché mondial des portables,
20 millions de téléphones portables vendus en 1997,
40 % du marché des infrastructures au sol qui relaient les appels.
L'entreprise a ainsi triplé son chiffre d'affaires entre 93 et 97.

Ce succès est basé sur un positionnement haut de gamme, une qualité top niveau et des prix élevés.
Si la valeur perçue par le consommateur des produits Ericsson est élevée, c'est parce que la société a su très vite adopter les modes d'organisation et de fonctionnement adaptés à l'environnement de cette fin de siècle.
– Des investissements en recherche et développement orientés vers la satisfaction des besoins émergents des consommateurs : 18000 chercheurs, dont les recherches sont orientées par un "consumer lab" : 20 personnes qui parcourent le monde pour identifier les nouvelles tendances en matière de téléphonie.
– Une coopération production/recherche à chaque nouveau projet pour intégrer dès le départ les contraintes de la fabrication.
– La maîtrise du processus de fabrication conduit à la maîtrise des coûts et des délais.
En 1997 est constitué un commando chargé de simplifier la chaîne et de comprimer les coûts. Les résultats ne se font pas attendre : les délais de livraison des composants passent de 8 à 2 semaines, ceux de produits finis de 10 à 2 jours, et les stocks sont réduits de moitié. Les coûts de fabrication ont été réduits de 20 % en 97.

Un marketing audacieux : en quelques années, Ericsson est devenue une marque grand public à ambition mondiale. Pour accroître rapidement sa notoriété, elle axe sa communication notamment sur des campagnes, presse, TV ("Faites-vous entendre") et le sponsoring d'événements mondiaux, tournée de Céline Dion, film de James Bond... et parie sur des sports qui "montent" : le badminton, la course d'orientation...

[1] In *Marketing Management*. Philip Kotler, Bernard Dubois. Publi-Union Editions, op. cit. page 13.

[2] In *Capital*, Ericsson champion du monde sur toute la ligne. n° 83, août 1998.

COMPRENDRE

 L'économie d'environnement

A. La nécessaire prise en compte de l'environnement

La justification du marketing a longtemps été l'adaptation de l'offre de l'entreprise aux besoins, attentes et désirs des consommateurs. Le marketing se concentrait essentiellement sur les relations entre les consommateurs et l'entreprise.
L'homme de marketing doit aujourd'hui réfléchir, analyser, décider et agir dans un univers beaucoup plus complexe : mondialisation des marchés, maturité de nombreux marchés, pressions écologistes, innovation technologique et révolution numérique, déréglementation, montée en puissance de la grande distribution...
Le responsable doit prendre en compte les différentes dimensions de l'environnement (démographique, économique, naturel, technologique, politico-légal, socioculturel) pour y déceler les opportunités et menaces susceptibles d'influencer la réussite de son entreprise. Il doit également intégrer le jeu et les stratégies des différents acteurs : consommateurs bien sûr, mais également concurrents et distributeurs.

Les exemples de Nike malmené aux États-Unis par des associations humanitaires, lui reprochant les conditions de travail chez ses fournisseurs du Sud-Est asiatique, de la Banque Directe utilisant les nouvelles technologies pour se passer des guichets traditionnels, ou de Degrif Tour proposant des offres de voyages à prix dégriffés à des clients capables de partir dans les jours ou dans les heures qui suivent sont quelques exemples de l'influence de l'environnement socio-culturel ou technologique sur les stratégies et les résultats des entreprises.

B. La prise de pouvoir par le client

De simples observations quotidiennes mettent en évidence cette prise de pouvoir. Dans les pays industrialisés, tout habitant d'une moyenne ou grande agglomération a le choix à moins de 15 minutes de son domicile entre deux ou trois hypermarchés, cinq ou six supermarchés, sans oublier les enseignes des multispécialistes de l'électroménager, des articles de sport ou du mobilier, les concessionnaires automobiles ou les agences bancaires.

Cette concurrence est une concurrence de proximité géographique. Plusieurs enseignes se livrent une concurrence féroce pour détourner vers leurs magasins les ressources financières des consommateurs.
Avec le développement de la Vente Par Correspondance traditionnelle (VPC), du télé-achat ou des ventes de biens et services par Internet, le consommateur dispose chaque jour davantage d'un choix encore plus large de fournisseurs, sans être nécessairement limité par la notion de distance.
Un renversement du rapport de force entre producteurs et consommateurs s'est donc produit en quelques années : l'offre de produits et de services est aujourd'hui largement supérieure à la demande solvable.

C'est désormais dans le cadre d'un marché mondial que des concurrents de toutes nationalités tentent de séduire un consommateur dont les ressources rares, dans les pays industrialisés, sont l'argent et le temps.

C. Le poids de la distribution

L'émergence de grands groupes de distribution en quelques années est spectaculaire. En France, Carrefour, Leclerc, Intermarché, Auchan, Continent dépassent les 100 milliards de chiffres d'affaires. Très marqués pendant 20 ans par leur origine de distribution alimentaire, ces entreprises ont su se tailler des parts de marché non négligeables sur de nouveaux créneaux : Leclerc, avec le Manège à bijoux, est le 1er bijoutier de France, Auchan le premier vendeur de micro-ordinateurs. Sans oublier les multi-spécialistes, désormais incontournables, sur les marchés grand public : Darty, Boulanger dans l'électroménager, Decathlon ou Go Sport sur le loisir sportif, ou la FNAC, 1er libraire de France…
Et le mouvement s'accélère dans les secteurs du tourisme, des produits financiers, de la librairie et des parfumeries…

Une autre manifestation du poids croissant de la grande distribution, est le développement de "marques distributeurs". La mise en place de ses marques sur la plupart des marchés ("Marque repère" chez Leclerc, Tex (textile) ou FirstLine (électroménager) chez Carrefour) place les distributeurs en concurrence directe avec certains de leurs fournisseurs[1]. La part des marques distributeurs dans les linéaires est aujourd'hui en France de 25 %.

Traditionnellement orienté vers la satisfaction du client (au sens de client final), le marketing doit prendre en compte le distributeur, passage souvent obligé, pour accéder au client final. D'où le développement du "Trade Marketing[2]" ou de l'ECR[3].

D. La révolution numérique

"Chaque objet du monde, chaque image inventée dans l'histoire des hommes peuvent être transformés en code. Tout ce que l'on voit, tout ce que l'on dit, tout ce qu'on lit est traduit en une chaîne d'octets constituée de zéros et de uns[4]"
Cette numérisation de l'information, couplée à la mise en réseaux de millions d'ordinateurs, notamment par Internet, a bouleversé notre rapport à l'espace et au temps.
Il est désormais possible d'échanger des données en temps réel, et d'accéder à des informations indépendamment du lieu et du temps.
La technologie nous rendant plus productif, nous conduit à comptabiliser chaque seconde de notre temps. "Time waits for no one".

---

[1] 56 % des industriels fabriquent des produits à marque distributeur. Etude : "Stratégies gagnantes en GMS", Andersen Consulting.

[2] Trade Marketing : Étude des attentes du distributeur afin de développer avec lui des relations personnalisées à long terme. Le trade concerne les assortiments, les politiques produits, le merchandising, la logistique, la promotion.

[3] ECR (efficient consumer response) : réponse optimale au consommateur. Réflexion globale sur les moyens d'améliorer, grâce à quatre programmes, l'efficacité de la promotion, de la logistique, des lancements de produits nouveaux et de l'assortiment des points de vente.

[4] in *La planète cyber*, Jean-Claude Guedon, op. cit. page 8.

L'ère du temps réel :

Nous entrons dans l'ère du temps réel. Le client, habitué à retirer de l'argent liquide à partir d'un GAB (Guichet Automatique de Banque), à consulter ses comptes depuis un minitel, à assister "en direct live" à la guerre du Koweit sur CNN, et à vivre les Grands Prix de Formule 1 en choisissant lui-même les angles de prises de vue sur le Kiosque de Canal Satellite, exige désormais une satisfaction immédiate. Aux entreprises de s'adapter : fabrication juste-à-temps, réduction des temps de mise en marché, recherche de flexibilité... sont des éléments de réponse.

Un modèle économique révolutionnaire :

Lorsqu'un industriel fabrique un bien physique (magnétoscope, voiture, livre...), le coût de revient du produit arrivé au consommateur dépend des investissements dans l'outil de production, des matières premières utilisées, des coûts de transport et des coûts marketing...

La révolution numérique introduit un nouveau modèle économique.

Imaginez que vous vouliez acheter un journal. L'approche habituelle consiste à se déplacer chez un marchand de journaux. Elle suppose que l'éditeur du journal ait imprimé celui-ci en x millions d'exemplaires, qu'il les ait ensuite livrés dans des milliers de points de vente répartis sur un vaste territoire. D'où des coûts de matières premières et de transports élevés, sans oublier la marge du distributeur, qui augmente le prix de vente au client final. Bref, des coûts fixes et marginaux considérables que les journaux n'arrivent à financer (parfois péniblement) qu'en faisant payer le client et l'annonceur publicitaire. Le client, par ailleurs, ne lira probablement que les pages du journal correspondant à ses centres d'intérêt... et au temps qu'il peut affecter à cette activité.

La révolution numérique et l'Internet permettent de créer un processus plus efficient pour le fabricant et pour le consommateur.
Imaginez que le journal soit accessible sur un site via Internet. Le client peut décider de ne visualiser sur son écran (ou de télécharger sur son disque dur) que les articles correspondant à ses centres d'intérêt.
Les intérêts sont multiples :

- Pour le producteur : réduction des investissements lourds liés au métier de l'imprimerie, diminution des coûts de matière première (zéro papier), de transport, élimination de la marge distributeur.
- Pour le client : disponibilité immédiate de l'information 24 heures sur 24, quel que soit l'endroit où il se trouve, possibilité de ne recevoir que l'information correspondant à ses centres d'intérêt. C'est le "sur-mesure de masse".
- On remarquera dans cet exemple que contrairement à ce qui se passe dans le monde physique, il n'y a pas consommation, dégradation de la matière originelle. Les zéros et les uns d'un fichier informatique peuvent être copiés et diffusés sur les réseaux des millions de fois sans subir de dégradation. Vous pouvez tentez l'expérience avec un journal papier traditionnel...
- On notera également le **faible coût marginal de diffusion** d'un information stockée sous forme numérique. Comme l'explique Nicholas NEGROPONTE*, l'économie traditionnelle est basée essentiellement sur le transport des atomes (qui composent la matière

* in *L'homme numérique*. Nicholas Négroponte, Robert Laffont, 1995.

de tout objet), alors que la révolution numérique rend possible le transport des bits[1]. Or, une fois que vous avez rédigez un document (article, brève, livre... ou encyclopédie), sa consultation et sa reproduction ont un coût marginal proche de zéro tant pour le producteur que pour le client internaute. Une utilisation récente est la diffusion en septembre 1998 du rapport de Kenneth Starr sur le Président américain Bill Clinton.

Les conséquences de la révolution numérique dans le business sont considérables.
"... certaines formes de commerce sont aujourd'hui impossibles ou marginales. Prenons le cas de l'"Encyclopaedia Britannica". Elle a du mal à survivre. L'entreprise est en vente et la version sur le Net est proposée en abonnement, un engagement de plusieurs centaines de francs à prendre à l'avance. Pourtant la consultation ne "coûte" rien. Pour développer le marché, il ne reste plus qu'à la facturer presque rien, et avoir des dizaines ou des centaines de milliers de consultations par jour. Les frais fixes sont vite absorbés, à condition que le coût de gestion de la transaction financière soit lui aussi infime, ce que rend possible la cryptographie[2]."
En fait, ce sont tous les services basés sur l'information qui sont touchés : information, communication, éducation, divertissement...

A l'ère du temps réel, le marketing de la "place de marché virtuelle" (par opposition à la place de marché physique) reste à inventer, mais déjà des entrepreneurs, des dirigeants, des chercheurs explorent de nouvelles voies.

 La révolution nécessaire du marketing

A. La nécessité de désapprendre

Prenez une allumette et allumez-la en la grattant. La flamme jaillit. Éteignez rapidement la flamme. Puis rangez avec précaution l'allumette et la boîte dans un tiroir.
Un an plus tard, ouvrez le tiroir, prenez l'allumette et frottez-la contre la tranche d'une boîte d'allumettes... Rien ne se passe...
Vous n'êtes pas surpris...
Pourtant n'avons-nous pas tous tendance à réutiliser les outils ayant fait preuve de leur efficacité à une époque donnée, dans des circonstances particulières ?

Les plus grandes entreprises ne sont pas à l'abri de ce type d'erreur.

Ainsi, Mac Donald[3], est-il entré dans une phase de perturbations. Certes, le géant américain pèse, avec un chiffre d'affaires supérieur à 200 milliards de francs, trois fois plus que son

[1] Bit (Binary digit) : unité élémentaire d'information pouvant prendre la valeur 0 ou la valeur 1. Tout fichier informatique qu'il contienne du texte, des nombres, des images, du son ou de la vidéo n'est qu'une - longue - succession de 0 et de 1.
[2] La cryptographie permet de protéger les fichiers numériques transitant sur Internet : courrier, règlements financiers, numéros de cartes de crédit, et de manière plus générale tout produit intellectuel ou artistique. In *Le centime, avenir du cybercommerce*. Jean-Louis Gassée. Supplément multimedia de Libération, 1/03/96.
[3] Les 7 erreurs qui font vaciller Mc Do. In *L'Essentiel du Management*, n° 40, juin 1998, pages 17-22.

challenger Burger King, mais il a perdu un demi-point de part de marché, doit fermer de nombreux restaurants insuffisamment rentables, et assiste impuissant à la baisse continuelle du chiffre d'affaires moyen des fast-foods ouverts depuis plus d'un an.
Il a perdu le contact avec le consommateur américain : perte de 5 points dans le baromètre de satisfaction des 200 plus grandes sociétés que publie le magazine américain Fortune : 189° sur 200.
Les enquêtes montrent que les Américains préfèrent le goût des hamburgers de Burger King et ceux de Wendy's, n° 3 sur le marché, et qu'ils se détournent de plus en plus souvent de McDo au profit de milliers de restaurants (mexicains, italiens...) et des plats touts préparés vendus en supermarché.

D'autres marques "stars" se sont également endormies : Nike tardant à se diversifier, Levi's qui n'a pas vu les jeunes délaisser le jeans pour les "pantalons sac" (baggy trousers)...

La morale de l'histoire est tirée par John Lord, professeur de marketing à l'Université Saint Joseph de Phidadelphie : "Un leader rencontre toujours des difficultés à un moment de son histoire parce qu'il continue à appliquer des recettes qui l'ont mené au zénith, alors que le monde autour de lui a évolué[1]".

Afin d'éviter de telles erreurs, découvrons les préoccupations des dirigeants de la fin des années 90.

B. Les préoccupations des dirigeants[2]

Les tendances du marché[3] les plus préoccupantes pour les cadres et dirigeants d'entreprise sont le renforcement de la concurrence sur les prix, conséquence de l'intensification de la concurrence et notamment la réduction du nombre des acteurs et l'augmentation de leur puissance ("syndrome World Company"), la mondialisation des marchés, l'importance croissante du service à la clientèle, l'amélioration de la qualité des produits et le taux élevé de produits innovants, et enfin l'évolution de la technologie des produits.
Sur les marchés de biens de consommation, les évolutions attendues sont les changements d'attitude de la clientèle et la *modification des modes de distribution* ; dans les services, le changement des attentes et des comportements des clients, la mondialisation des marchés et de la concurrence.

Dans ces conditions, les priorités du management sont aujourd'hui d'améliorer la qualité des produits et/ou des services, de développer de nouveaux produits, de rester en phase avec les clients, de renforcer ou d'améliorer le service à la clientèle et enfin de suivre l'évolution de la concurrence.

Que conclure de cette étude sur les préoccupations des dirigeants ?
Pour lutter contre une concurrence accrue, souvent mondiale, et à une pression forte sur les prix, les entreprises recherchent des voies de **différenciation** :

[1] Les 7 erreurs qui font vaciller Mc Do. In *L'Essentiel du Management*, n° 40, op. cit. page 26.
[2] Kamran Kashani in *L'Art du Management*. IMD International, London Business School, The Wharton School of the University of Pennsylvania, Pearsons Professional Limited et Editions Village Mondial, Paris, 1997.
[3] Enquête de l'IMD auprès de 220 dirigeants internationaux, citée dans Indispensable marketing, in *L'Art du Management*.

– d'où le développement de nouveaux produits pour satisfaire des consommateurs (et des distributeurs) versatiles,
– d'où la nécessité de satisfaire le client par une offre attractive et donc d'imaginer et de mettre en place des outils pour mesurer cette satisfaction.
– La nécessité d'"être concurrentiel sur les prix" conduit à une réflexion et des actions sur les processus de conception, de production et de distribution.

C. L'évolution des services marketing

Des services marketing plus proches du terrain

Un reproche souvent adressé aux services marketing dans les années 70 était leur éloignement du terrain. D'où un risque avéré d'isolement par rapport à d'autres acteurs de l'entreprise, et un manque d'efficacité pour l'entreprise. Le marketing a souvent disparu de l'organigramme en tant que fonction séparée. On le retrouve dans des directions produits ou marchés. Réflexion et action sont mieux intégrées afin de répondre plus efficacement aux attentes des différents segments de marché.

Des techniques spécialisées à la vision stratégique

Ce qui pouvait dans les années 70 relever de son domaine exclusif (études de marché, de concurrence, communication...) est aujourd'hui intégré à un processus qui peut faire appel à d'autres fonctions de l'entreprise : développement de produits, gestion de la distribution... Le marketing a échappé à la réduction à la seule dimension "technicienne". En renforçant sa contribution aux résultats de l'entreprise, il a acquis une dimension stratégique.

Une ouverture généraliste

L'esprit marketing s'est diffusé dans tous les services de l'entreprise. Penser client, prendre en compte la concurrence, s'assurer un avantage compétitif sont désormais des préoccupations qui doivent être partagées par tous les collaborateurs, quel que soit leur service.

D. Du marketing management au marketing stratégique

"Il faut non seulement surfer sur la vague des événements, mais aussi créer celle sur laquelle on surfera". Henri Kissinger

Le marketing évolue depuis le milieu des années 80 du marketing management vers le marketing stratégique : il ne s'agit plus seulement de s'adapter aux besoins et désirs du client (ce qui avait pour effet de minimiser la prise en compte de la concurrence), mais de *construire méthodiquement un avantage concurrentiel*, en délivrant durablement au client une offre meilleure et mieux adaptée que celle des concurrents. Au-delà des traditionnelles stratégies produit-marché, émerge l'idée d'un ensemble de relations commerciales "produit-marché/concurrent". D'où le rôle clé de la démarche segmentation, ciblage, positionnement.

"L'objet de la stratégie marketing est, après avoir choisi certains segments de marché et identifié les facteurs clés de succès commerciaux correspondants, de conférer à l'offre de l'entreprise un avantage concurrentiel commercial, c'est-à-dire une valeur[1] relative supérieure à celle des offres concurrentes.[2]"

---

[1] Rapport des bénéfices procurés par l'offre (utilité) sur le coût global d'acquisition.

[2] *Gestion marketing, marketing stratégique et risque commercial*, Jean-François Trinquecoste, Connaissance et Action, Publication du Groupe ESC Bordeaux, n° 2-3, novembre 1996.

En raison de cette évolution, les compétences attendues des responsables marketing sont "la pensée stratégique, les capacités de communication et la réceptivité à la clientèle[1]". Les savoir-faire spécialisés ne suffisent plus...

E. L'émergence des stratégies d'alliance[2]

Les stratégies d'alliance se sont multipliées dans les années 90. Nous présentons ici quelques exemples de ces alliances au niveau marketing.

Le "co-branding" ou "association de marques" peut se limiter à la seule communication : ainsi la communication du Club Med a-t-elle mis en scène des buveurs de Coca-Cola, et celle d'Ariel, le patron de Jacadi.
Mais elle peut porter sur le lancement d'un nouveau produit commun :
Yoplait et Côte d'Or ont lancé une "mousse au chocolat commune", Danone et Motta un "yaourt glacé".
L'objectif poursuivi est triple :
- profiter du capital-marque des deux entreprises pour séduire leurs deux clientèles, et multiplier les occasions d'achat,
- accéder à de nouveaux savoir-faire,
- diviser les coûts de production et de communication.

Le lancement d'un nouveau produit peut également passer par la création d'une filiale commune (Mercedes et le fondateur de Swatch ont créé une filiale (MCC) pour le lancement de la Smart) ou par la création d'une joint-venture : c'est le cas de Nestlé avec le spécialiste américain des céréales pour petit déjeuner, General Mills. Résultat : en France, 20 % de part de marché.

Lorsque Coca-Cola se lance dans le jus d'orange, avec Minute Maid, il ne le fait pas sous sa marque. Pour attaquer le rayon "frais" des grands distributeurs, il noue un partenariat avec Danone.

Le partenariat peut également avoir pour objet la "mise en vie" de la marque :
Adidas a ouvert à Toulon un nouveau concept de café entièrement dédié au football : les "Adidas Sport Cafés". Outre la restauration, le client accède en permanence aux résultats des compétitions en cours, à des images de sport diffusées en continu sur des écrans géants. Il peut acheter des produits dérivés et une sélection de la presse sportive.
Ce type de partenariat permet à Adidas d'échapper aux seuls terrains d'action traditionnels (linéaires des distributeurs, publicité média...). L'objectif est de "créer des concepts de vie en adéquation avec les valeurs des consommateurs".

F. Le marketing en temps réel

Les marchés sont entrés dans l'ère du temps réel. Pour réussir, l'entreprise doit revoir ses modes d'organisation. L'un des dysfonctionnements les plus courants est l'incapacité de l'en-

[1] Enquête de l'IMD auprès de 220 dirigeants internationaux, citée dans Indispensable marketing, in *L'Art du Management*, op. cit. page 27

[2] Exemples extraits de L'œil de Cofinoga, les nouveaux faits de consommation à la loupe, n° 42, août 98.

treprise à prévoir la demande d'un consommateur versatile. Situation quasi-endémique chez Apple au milieu des années 90 : en rupture de stocks sur les micro-ordinateurs les plus demandés par les clients (les Powerbook), la firme californienne croulait sous les stocks des machines grand public... Insatisfaction des clients, frais financiers liés au stockage, provisions pour dépréciation de stocks... Ce n'est qu'en 1998 qu'Apple échappera à ce cercle vicieux, en introduisant le concept de fabrication à la demande, et en simplifiant ses lignes de produits.

Pour adapter l'entreprise à l'économie du temps réel, il est nécessaire d'investir dans des systèmes d'information et de communication en temps réel. Ceux-ci auront un impact considérable sur les relations de l'entreprise avec ses partenaires et ses clients et même sur la culture de l'entreprise. Lorsque les collaborateurs auront apprivoisé cette nouvelle technologie, de nouvelles idées de produits et de services, de nouvelles manières de fidéliser les clients et de nouvelles méthodes de travail en équipe émergeront. Autant d'éléments pouvant contribuer à la construction d'un avantage concurrentiel.

D'un point de vue technologique, l'entreprise va se structurer :
– en interne, autour d'un Intranet[1]
– dans ses relations avec ses partenaires, par un Extranet[2]
– dans ses communications et ses recherches d'information avec le marché, via Internet.

"Ces progrès permettent de développer de véritables nébuleuses, chaînes d'offre organisées au niveau mondial à coûts optimisés et à grande flexibilité[3]." La conséquence la plus immédiatement palpable est une réduction spectaculaire des coûts de transaction.

---

[1] Utilisation des technologies de l'Internet sur un réseau local

[2] Réseau informatique reliant différents partenaires (sous-traitants, fabricants, distributeurs) basé sur les technologies de l'Internet.

[3] in Distribution, le défi mondial des bas prix, Marc DUPUIS in Décisions Marketing n° 6, septembre-décembre 1995.

MAÎTRISER

 L'état d'esprit change...

A. Autant de marketing que d'utilisateurs

Aider à mieux vendre, appuyer la force de vente sur le terrain, concevoir des plans d'action, étudier la concurrence et les attentes des clients-consommateurs, promouvoir la notoriété des produits et des marques, aujourd'hui le marketing est devenu incontournable pour organiser les politiques commerciales et publicitaires de toute entreprise.

De l'étude de marché au plan marketing en passant par le plan d'action commercial, le marketing recouvre une méthodologie bien rodée animée de l'intérieur par un dispositif immatériel reposant sur le savoir-faire, la créativité et l'intuition à dépasser sans cesse les règles du présent. D'une manière conventionnelle, le marketing recouvre un ensemble d'actions techniques coordonnées (management de projet et de budget, étude de marché, simulation des ventes, promotion des produits, commercialisation, publicité et image, relations avec les partenaires, clients et prospects, R&D* de nouveaux produits...) le tout assorti d'un registre de notions économiques précises (marché, segmentation, univers d'offre et de demande, ciblage, socio-type...), en vue de développer les ventes des produits ou services de l'entreprise.

En résumé, on peut affirmer que le marketing est l'art et la technique de mettre en phase au même moment, une offre et une demande ciblée. Il représente une science appliquée issue de l'économie de marché, capable de tirer le meilleur parti d'un environnement déterminé.

Le marketing procède d'un état d'esprit et d'une méthodologie précise, faisant qu'au final, il existe autant de marketing que d'utilisateurs du marketing. La véritable science du marketing est de pouvoir faire lui-même son propre marketing. Dans ce raisonnement, l'efficience du marketing résulte de son caractère opérationnel sur le terrain du concret, par l'obtention de résultats mesurables présents ou assurés, du fait du plus grand contentement des clients et de l'entreprise.

Faire du marketing nécessite par conséquent de bien comprendre les mécanismes complexes et subtiles des décisions d'achat et des mouvements de société ; l'homme de marketing est un innovateur réaliste et intuitif, capable de rendre opérationnel ce qui est informe dans l'esprit de beaucoup. En ce domaine, plus la demande est exigeante, formée et affinée, plus le marketing doit être construit, différencié, solide et parfaitement adaptatif.

La fonction principale du marketing n'est pas uniquement de vendre à court terme, car vendre sans visibilité dans un milieu au relief changeant, c'est forcément s'exposer à une sor-

* R&D : Recherche et Développement.

tie de route commerciale. La fuite en avant commerciale n'est pas la finalité du marketing opérationnel. Sa finalité, c'est de mettre en place une dimension stratégique cohérente de l'ensemble des actions menées, comme il en est de l'ensemble des moyens dans un plan de bataille. Le temps joue contre le marketing, aussi doit-il prévoir et anticiper, arbitrer des mesures par d'autres mesures.

Le marketing doit être assorti d'une véritable compétence terrain et d'un accompagnement étroit de la force de vente et/ou du réseau de distribution dans sa réalité quotidienne.

Pour agir dans l'efficience, le marketing doit reposer sur une analyse perspicace et une écoute attentive des besoins en provenance des marchés de l'entreprise. Il doit **anticiper** le mouvement des marchés et les attentes qui en découlent. Dès lors, il ne résulte pas seulement d'une vision interne à l'entreprise et aux idées de ses cadres, ingénieurs et/ou créatifs croyant que tout produit s'impose automatiquement parce qu'il existe.

La problématique du marketing n'est pas dans l'excellence de l'idée ou de l'innovation en soi, elle est dans la maîtrise d'une réalité interne et externe à conjuguer efficacement l'ensemble des forces et des contraintes du milieu, qu'elles soient apparentes ou non.

Le marketing ne résulte donc pas uniquement d'une approche technicienne où le fait de connaître parfaitement son fonctionnement permet inéluctablement d'en faire bon usage. Le marketing est en soi d'une exigence totale. Il ne s'improvise pas, il ne se décrète pas et ne s'impose pas autoritairement aux autres. Il est en cela parfaitement systémique c'est-à-dire ouvert, adaptable au relief du milieu, opportunisant et déclinable à l'infini.

Qu'il soit méthodologique ou intuitif, spécialisé ou global, institutionnel ou produit, le marketing est un **état d'esprit professionnel** à anticiper, à comprendre intimement la complexité des mécanismes de décision et de psychologie, comme à surmonter les freins économiques, politiques ou techniques. Pour cela, il est nécessaire à l'homme de marketing d'avoir une connaissance élargie de l'entreprise et non pas seulement de sa propre entreprise, de la psychosociologie avancée du client ou du consommateur et pas seulement de jouer sur des ressorts simplistes appliqués à des typologies de base. Il lui est également nécessaire de bien connaître les frontières et les influences directes ou indirectes de son milieu d'action (univers de référence) en matière juridique, financière, technologique, politique, culturelle, idéologique... comme de bien dominer les processus de décision, d'habitudes et de comportements.

En ce sens, le marketing oblige à agir dans une proximité toujours plus intime du consommateur final et intermédiaire, en ce qu'il nécessite à la base connaissances précises, confiance voire complicité avec son milieu.

Le marketing est un passage obligé en économie de marché, nécessitant que la mentalité des dirigeants et des cadres soit en phase avec leurs marchés. Il ne s'agit pas de savoir si l'offre de l'entreprise doit faire plier ou influencer la demande ou si l'offre doit s'adapter à la demande. Il s'agit essentiellement de pratiquer le meilleur consensus entre satisfaction de l'une et rentabilité de l'autre. La pression trop forte de l'une sur l'autre se paye obligatoirement et rapidement à un moment donné, au dépend des deux.

B. Anticiper, mais sur quelles bases ?

Les connaissances actuelles en matière de théorie et de méthodologie marketing ne sont développées dans le cadre des relations entre l'entreprise et sa clientèle directe dans une perspective de stimulation de la demande ; on s'est donc attaché à mesurer les impacts des outils marketing sur les ventes. À partir du moment où l'activité marketing doit se déployer pour prendre en compte l'ensemble de son environnement, il faut repenser les méthodes de prévisions et les modèles de décision.

La plupart des entreprises ont aujourd'hui des difficultés pour élaborer des prévisions même à court terme sur leurs ventes. Cela s'explique certes du fait d'un environnement qui change beaucoup plus rapidement qu'auparavant mais aussi du fait de méthodes de prévisions souvent archaïques. En effet, ces méthodes reposent sur l'analyse du passé, et à partir du moment où l'activité de l'entreprise se transforme dans des proportions telles que la référence au passé devient pratiquement inutile, tous les outils qui supposent un certain degré de continuité perdent la plus grande partie de leur intérêt.

Voyons comment les hommes de marketing ont commencé à modifier les méthodes de prévision sur lesquelles ils conçoivent l'élaboration de leurs stratégies.

Les prévisions à moyen et long terme

Les problèmes économétriques s'appliquent efficacement lorsque la quantité d'information est suffisante, notamment sous forme de séries chronologiques, et lorsqu'aucune mutation technologique brusque et importante de l'offre n'est susceptible de se produire.

Ces modèles se sont perfectionnés progressivement en passant de l'analyse des tendances aux corrélations multiples, et aux modèles de comportement.

- **L'analyse des tendances** a été pratiquée en premier lieu ; elle constitue le modèle le plus simple, dans lequel la seul variable explicative est le temps. C'est évidemment rudimentaire, puisque le fait de constater une tendance n'autorise pas à la prolonger dans le futur, et c'est pourquoi des modèles plus complexes ont été imaginés. Il en reste aujourd'hui deux grands types d'applications :
  1) l'analyse préalable (sous forme de graphique, ou par ajustement d'une fonction simple, linéaire ou exponentielle) dans un but descriptif.
  2) la représentation de phénomènes de diffusion, relativement lents et réguliers, tels que l'évolution des taux d'équipement d'une population en biens durables (automobiles, appareils électroménagers, etc.), l'évolution des fonctions logistiques utilisées depuis plus de vingt ans ou des fonctions plus sophistiquées suffisent pour représenter par exemple l'évolution d'un parc d'automobiles au cours du temps.
- **Les modèles à variables explicatives estimés par corrélations multiples** apportent deux éléments de progrès par rapport aux modèles de pure tendance :
  1) ils permettent de mettre en évidence l'importance de chacun des facteurs explicatifs.
  2) ils sont plus précis, les écarts entre valeur observée et valeur calculée étant souvent considérablement réduits.

L'utilisation de ces modèles s'est beaucoup répandue en Europe en étroite liaison avec le développement informatique. Les bibliothèques de programmes en effet contiennent toujours des programmes de corrélation multiple avec méthode de sélection progressive des variables explicatives utiles, ce qui permet d'effectuer très commodément la centaine d'essais conduisant au choix de la régression la plus performante.

- **Les modèles de comportement** apportent à leur tour des progrès dans deux directions par rapport aux modèles de corrélations multiples :

  1) D'une part, l'essai mécanique d'un très grand nombre de variables dans une régression linéaire multiple ne conduit pas obligatoirement au modèle le plus performant ; en effet, une analyse du comportement du consommateur peut suggérer des facteurs explicatifs qui ne seraient pas apparus dans un traitement automatisé trop systématique. Rappelons l'exemple bien connu présenté par Suits sur la demande automobile aux USA. Il s'agit essentiellement d'une demande de renouvellement et Suits suggère d'introduire l'effet « prix » sous la forme suivante :

$$(Pn \times q) - Po = P$$

Pn = prix moyen des voitures neuves
Po = prix moyen des voitures d'occasion
q = taux minimum de paiement comptant

  P représente alors la somme que le ménage doit débourser comptant.

  Nous avons eu l'occasion de vérifier que l'influence de P pouvait être significative, alors que l'essai, parmi d'autres variables, des facteurs Pn, Po, q conduisait à les rejeter.

  2) D'autre part, l'absence d'analyse des mécanismes du marché peut conduire à des erreurs dans la spécialisation du modèle en considérant comme exogènes ou prédéterminées des variables qui sont en réalité endogènes, c'est-à-dire qui devraient être déterminées par le modèle. On sait alors que des erreurs de prévisions importantes peuvent être commises, les paramètres étant biaisés.

Les analyses de comportement des consommateurs – qui doivent constituer obligatoirement la première phase de l'établissement d'un modèle avant le calcul numérique des paramètres de ce modèle – peuvent conduire, selon les cas, à des modèles de corrélations multiples classiques, ou à des modèles plus complexes.

L'analyse peut conduire à des *modèles récursifs*, c'est-à-dire à des systèmes de plusieurs équations, représentatives de comportements en chaîne, qui peuvent donc être résolues successivement. Par exemple, une étude sur la consommation de ciment en Italie relie sur longue période (plus de 40 ans) cette consommation aux trois types d'investissements : résidentiels, industriels, travaux publics ; ensuite, des modèles explicatifs relient par exemple les investissements en constructions résidentielles au rapport loyer/coût, au rendement des obligations, aux crédits alloués.

L'analyse peut conduire à des systèmes *d'équations simultanées*, c'est-à-dire à des systèmes où la demande dépend bien du prix, mais où on ne peut pas considérer que celui-ci est fixé par l'offre indépendamment du niveau de la demande. L'estimation correcte de l'équation de demande nécessite alors l'estimation de l'ensemble des équations.

Dans certains cas, les hypothèses sur le comportement amènent à des *équations de forme non-linéaire* qui ne peuvent pas être ramenées à la forme linéaire par transformations ; c'est notamment le cas lorsqu'interviennent dans la même équation des effets multiplicatifs et additifs. On dispose d'algorithmes de calcul qui permettent d'avoir des estimations satisfaisantes des coefficients.

Enfin l'analyse peut montrer l'importance de certains facteurs explicatifs dont le rôle est indiscutable, mais que des corrélations à l'aide de séries chronologiques ne peuvent quantifier, soit que l'influence de ces facteurs soit trop récente, soit encore que les informations elles-mêmes soient insuffisantes. Nous avons rencontré de telles situations lorsque des analyses psychosociologiques ont montré l'importance du prix pour la consommation mais que ce prix, après une longue période de stabilité, ne connaît de variations sensibles que depuis une période récente.

L'attitude traditionnelle consistait à considérer comme faible l'influence des variables dont on n'était pas en mesure de quantifier les effets ; la tendance actuelle serait plutôt d'en tenir compte en réajustant la valeur du paramètre au fur et à mesure que de nouvelles informations sont disponibles.

Si remarquables qu'aient été les progrès des modèles économétriques et l'extraordinaire variété des applications faites, des limitations à leur emploi existent, qui proviennent essentiellement du manque de données disponibles : c'est le cas, bien entendu, des prévisions pour les produits nouveaux, mais également pour des produits anciens lorsque les données statistiques sont insuffisantes, notamment en séries chronologiques.

C'est pour pallier ces défaillances qu'ont été développées des techniques fondées sur des segmentations de clientèles et pouvant mettre en œuvre des analyses psychologiques pour les produits de consommation et des analyses technologiques pour les produits industriels. La construction de ces modèles fait alors appel à des enquêtes (ou à des panels) dont la répétition à intervalles réguliers permet la mise à jour.

Il est parfois intéressant de combiner plusieurs modèles de prévisions pour affiner l'analyse.

Prenons l'exemple d'une application combinée de l'économétrie et de la segmentation : la télévision en France (cas historique reconstitué).

La télévision en noir et blanc ayant largement pénétré l'ensemble des foyers (75 % de taux d'équipement au 1/01/71), le problème qui se posait aux constructeurs était de savoir comment allait évoluer le marché de renouvellement en noir et blanc, et le marché de premier équipement en couleur. Les deux marchés n'étaient pas indépendants, et le problème principal était d'apprécier la modification de la durée des téléviseurs noir et blanc. Remarquons d'ailleurs que ce problème est très général pour les biens durables et que, automobile exceptée, des progrès technologiques notables (automatisme pour la machine à laver, congélateur, perfectionnement des fours de cuisine, etc.) peuvent provoquer des raccourcissements brutaux des durées de vie moyenne des appareils en service.

Le schéma général de l'analyse a pris en compte deux volets :

1) Ventes de premier équipement :

Ces ventes sont estimées en fonction des revenus mais il a fallu corriger le mobile (grâce à des enquêtes périodiques) pour prendre en compte l'attitude des acheteurs potentiels en premier équipement qui s'est modifiée progressivement, sous l'action de facteurs objectifs (baisse du prix des Télévisions Couleur alors que les revenus croissent) et subjectifs (les freins à l'acquisition d'un téléviseur couleur ont tendance à baisser, la concurrence avec d'autres bien d'équipements baisse). Cette partie de la prévision est du type purement économétrique.

2) Ventes de renouvellement :

Ces ventes dépendent de la durée de vie des appareils en noir et blanc. On est donc amené à étudier la durée de vie en fonction des revenus des consommateurs et il est alors nécessaire d'intégrer une segmentation.

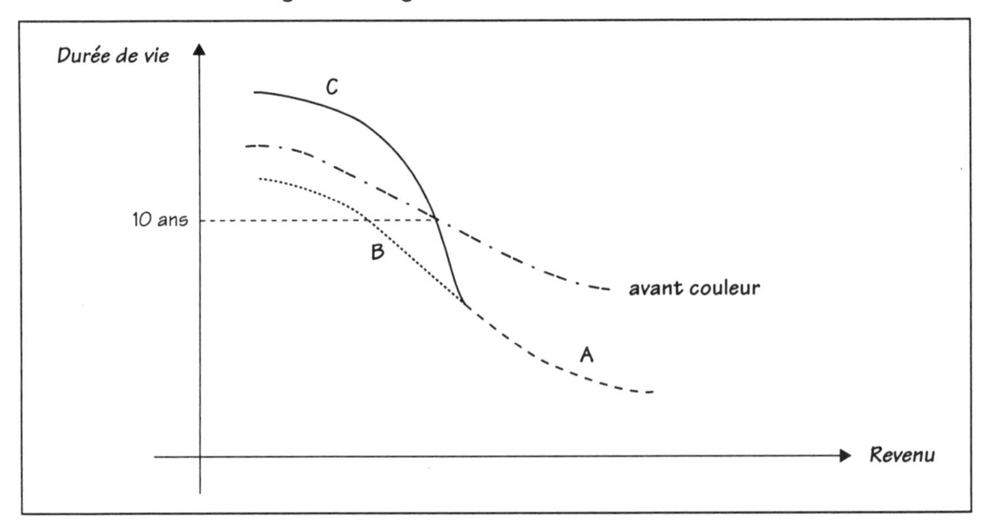

S'il est certain que pour les hauts revenus, la durée de vie moyenne a baissé considérablement (branche A), en revanche pour les bas revenus, on peut hésiter entre un phénomène analogue de moindre ampleur (branche B), et au contraire un effet « d'attentisme » (branche C). Une enquête a permis de trancher en 1971, mais comme précédemment cet effet va se modifier dans le temps et des enquêtes répétitives ont été mises en place pour contrôler l'évolution.
Cette approche combinée de l'économétrie et de la segmentation se retrouve dans les modules à coefficients techniques.

Cette famille de modèles convient particulièrement bien à la prévision de produits intermédiaires, dont la consommation (ou l'équipement) varie beaucoup d'un segment à l'autre du marché potentiel. C'est le cas, par exemple, pour le trafic postal selon diverses catégories d'activités (banques, assurances, commerce, industrie, administrations, etc.) : des ratios peuvent être obtenus dans des enquêtes effectuées régulièrement auprès d'un échantillon d'entreprises, et leur évolution peut ainsi être saisie et donner lieu à prévision. Une méthode analogue a été utilisée pour étudier la demande en lignes téléphoniques, la consommation de ciment, etc.

S'agissant d'un produit relativement nouveau, comme la demande en ligne de transmission de données, les utilisateurs potentiels sont classés en segments pour lesquels on définit des besoins théoriques ; la demande effective sera évaluée en tenant compte de freins dus à l'apprentissage des utilisateurs, ou à la demande de terminaux.

Lorsqu'apparaissent sur les marchés des présentations nouvelles, des modifications de produits anciens ou des produits nouveaux susceptibles de prendre une partie du marché à leur profit, des modèles « de transfert » peuvent être parfois réalisés : il s'agit d'associer à chaque segment de clientèle une probabilité de transfert vers un autre segment. Des applications de tels modèles ont été imaginés pour étudier l'évolution des équipements de chauffage des ménages, évolution des consommations due à une modification des produits.

La méthode TRANSPACT utilisée pour un nouveau modèle automobile, est schématisée dans l'exemple ci-après.

Illustration de la méthode TRANSPACT sur un exemple fictif

Partons du principe qu'il n'existe que quatre modèles de voitures. Ces voitures, toutes de courses, sont d'un prix élevé et bien que le niveau de vie des habitants le soit également, un constructeur décide de lancer un nouveau modèle, relativement moins cher, le modèle X. Voici les résultats auxquels aboutit l'application de TRANSPACT :

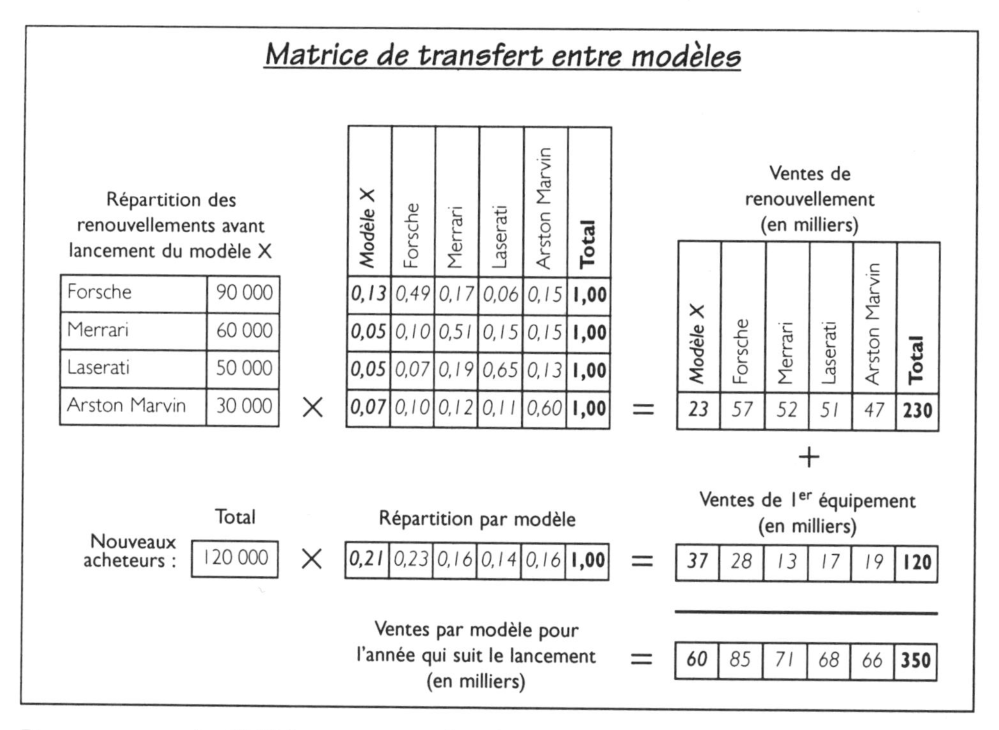

Matrice de transfert entre modèles

Répartition des renouvellements avant lancement du modèle X

Forsche	90 000
Merrari	60 000
Laserati	50 000
Arston Marvin	30 000

×

Modèle X	Forsche	Merrari	Laserati	Arston Marvin	Total
0,13	0,49	0,17	0,06	0,15	1,00
0,05	0,10	0,51	0,15	0,15	1,00
0,05	0,07	0,19	0,65	0,13	1,00
0,07	0,10	0,12	0,11	0,60	1,00

=

Ventes de renouvellement (en milliers)

Modèle X	Forsche	Merrari	Laserati	Arston Marvin	Total
23	57	52	51	47	230

+

Nouveaux acheteurs : Total 120 000 × Répartition par modèle

0,21	0,23	0,16	0,14	0,16	1,00

= Ventes de 1er équipement (en milliers)

37	28	13	17	19	120

Ventes par modèle pour l'année qui suit le lancement (en milliers) =

60	85	71	68	66	350

Dans cet exemple, 90 000 possesseurs de « FORSCHE » vont renouveler leur voiture au cours de l'année considérée : parmi ceux-ci 49 % reprendront une « FORSCHE » mais 13 % achèteront le modèle X.

De même, le modèle X sera acheté par 8 % x 60 000 (MERRARI), plus 5 % x 50 000 (ZASERATI), plus 7 % x 30 000 (ARSTON MARVIN), ce qui donne 23 000 véhicules.

Parmi les 120 000 nouveaux acheteurs, 31 % choisiront le modèle X soit 37 000 voitures. Il y aura donc 60 000 ventes du modèle X l'année qui suivra le lancement.

L'évolution technique des méthodes permet de plus en plus de traiter les problèmes déterminants des entreprises ; les études en gestation à l'heure actuelle concerneront la prévision technologique et l'innovation. Les méthodes de prospective utilisées aujourd'hui principalement au bénéfice des États (en raison de l'ampleur et de la généralité des questions) devraient progressivement se perfectionner et pourraient dans un avenir proche trouver des applications susceptibles d'intéresser les entreprises.

Du point de vue du processus de décision, les prévisions à moyen et long terme interviennent souvent « au coup par coup », lorsque l'entreprise est préoccupée par un problème important et nouveau ; ainsi liées à des décisions stratégiques discontinues, les prévisions à moyen terme risqueraient d'apparaître comme des îlots dans la vie de l'entreprise, si la pratique des plans de développement ne progressait pas trop rapidement.

En fait, une prévision à moyen terme est une transposition dans l'avenir de ce que l'on connaît au moment où elle est établie : elle est donc essentiellement conditionnelle et n'a pas le caractère divinatoire que certains lui attribuent parfois. Elle doit donc être constamment nourrie des informations nouvelles disponibles et révisée en conséquence.

Ainsi la prévision à moyen terme, comme nous le verrons plus loin, doit prendre appui sur la prévision à court terme, qu'elle prolonge, en même temps qu'elle fournit des indications importantes pour réaliser la prévision à 12 et 18 mois.

Dans l'avenir, les prévisions à moyen terme seront intégrées dans l'ensemble du plan de développement avec des conséquences sur les plans de production et les plans financiers, et de véritables systèmes simulant le développement global de l'entreprise devront être mis au point.

Les prévisions à court terme

Les habitudes de gestion actuellement en vigueur consistent généralement à élaborer un budget annuel environ 15 à 18 mois avant le début de l'année visée, à le fragmenter en morceaux généralement trimestriels, et à ne détailler les choses que sur une courte période (de la semaine à 3 mois). À ces besoins de prévision correspondent des outils très différents :

- pour le très court terme (inférieur à 6 mois), des méthodes d'extrapolation ont été mises au point, et on est passé au cours des dernières années de l'extrapolation empirique à l'extrapolation scientifique.

- pour le court terme (de 12 à 18 mois), des modèles dits de « fluctuation » permettent d'étudier et prévoir les variations d'un année à l'autre ; ces modèles sont d'un intérêt considérable pour la prévision budgétaire.

À court terme, ce sont les variables « conjoncturelles » (climat, saisonnalité, action commerciale des concurrents, aléas économiques et politiques...) qui expliquent l'essentiel des fluctuations, et l'on pourrait être tenté d'écrire des modèles faisant intervenir explicitement de tels facteurs. En fait, saisonnalité mise à part, la tâche est très difficile car l'action de telles variables est noyée dans de multiples causes de variation du même ordre de grandeur.

On a donc été amené à étudier les chroniques sans introduire de facteurs explicatifs, d'où le qualitatif « endogène » donné à cette famille de modèles de prévision.

Les premières méthodes ont été empiriques ; la méthode des *moyennes mobiles* a rendu de très grands services. Elle consiste à approximer la tendance récente par des moyennes mobiles répétitives (12 à 15 mois). La série « désaisonnalisée » est alors relativement « lisse » et on l'extrapole à quelques mois.

Dans le *lissage exponentiel*, on tient compte des écarts entre prévisions et réalisations pour faire une nouvelle prévision ; plus précisément, on donne un poids exponentiel décroissant aux observations en fonction de leur ancienneté, d'où le nom de la méthode.

Un progrès substantiel a été réalisé lorsque l'on a explicité le modèle probabiliste qui conduit aux formules de prévision du lissage exponentiel, il est alors apparu qu'il était possible d'écrire un modèle probabiliste plus simple et dont l'interprétation économique était plus directe.

Les modèles de fluctuations sont utilisés pour la prévision de la demande de produits soumis à de fortes fluctuations conjoncturelles : biens durables et biens d'investissement. Pour ces biens, de nombreux travaux ont montré que le simple recueil par enquêtes d'intentions d'achats ne permettait pas une prévision fiable. En revanche, des modèles économétriques de corrélation multiple sont maintenant couramment utilisés.

Dans de tels modèles, les variations (le plus souvent annuelles) de la demande sont expliquées par des fluctuations de facteurs conjoncturels généraux – revenu, liquidité – ou de facteurs propres aux produits : conditions de crédit, prix, lancement de nouveaux modèles, parc, renouvellement... etc. Certaines des variables de ces modèles, comme le revenu, doivent être prévues, mais d'autres sont heureusement connues au moment d'effectuer la prévision : parc de l'année précédente, liquidités au 31 décembre par exemple. On peut d'ailleurs introduire dans ces modèles des variables intégrant des facteurs plus psychologiques, tels que la perception qu'ont des ménages de leur situation financière. Cette approche semble plus prometteuse que l'utilisation des enquêtes d'intention d'achats.

À titre d'exemple, nous avons fait figurer les résultats obtenus avec un modèle de fluctuation de la demande automobile en France comportant quatre facteurs explicatifs (*voir figure page 40*).

Les modèles de fluctuation sont établis dans la quasi totalité des cas au niveau du marché total d'un produit ; jusqu'à une date récente les techniques utilisées pour élaborer les prévisions de vente d'une entreprise relevaient toutes de l'extrapolation scientifique, la plus connue étant le lissage exponentiel. Malgré de nombreuses améliorations apportées, les caractéristiques de base de ces techniques n'ont pas changé : les prévisions extrapolent au mieux la tendance récente des ventes en y intégrant les facteurs saisonniers.

Par construction, ces méthodes ne permettent donc pas de prévoir des retournements de tendance mais présentent en revanche l'intérêt de se réajuster au plus tôt une fois ces

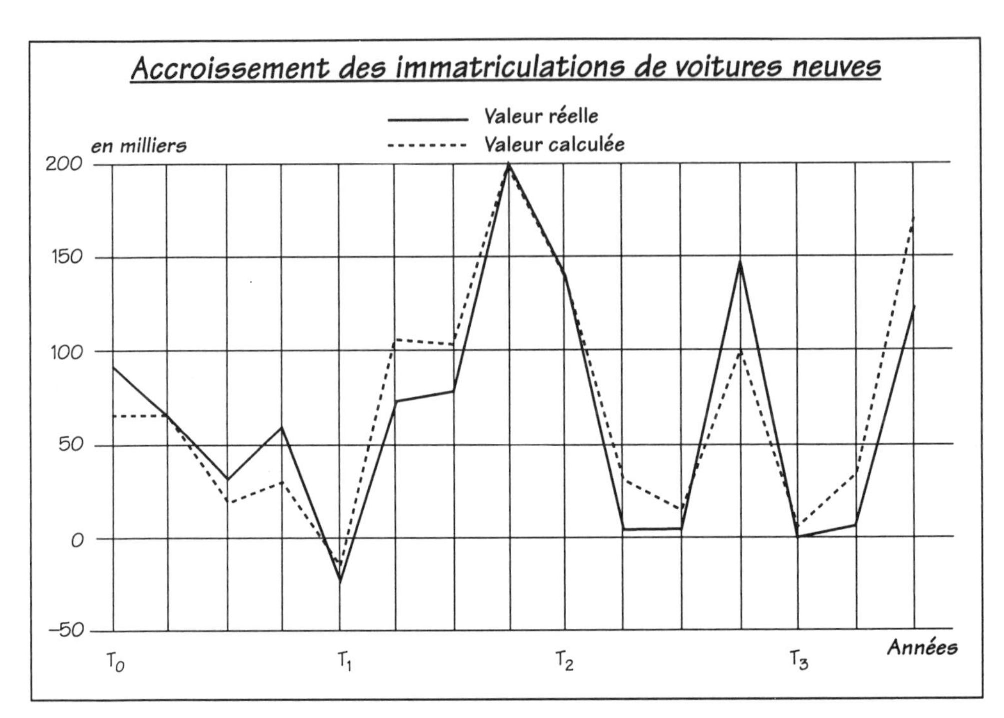

retournements enregistrés. Il en résulte que la précision des prévisions obtenues, souvent très satisfaisante de 1 à 3 mois, se dégrade rapidement pour des termes plus éloignés. De plus, même à très court terme, la précision peut être tout à fait insuffisante pour des produits dont les ventes ont été perturbées par des événements tels que des campagnes de promotion massives ou des changements de tarifs importants.

Pour remédier à ces défauts, une recherche a été effectuée pour mettre au point un système intégré de prévisions. Cette recherche a abouti sur une méthode qui permet de prévoir automatiquement, mois par mois, les ventes des 18 mois à venir avec une précision satisfaisante en prenant en compte toutes les informations disponibles (plan de marketing, conjoncture...) au moment de l'élaboration de la prévision. De plus, des contrôles appropriés sont associés à ces prévisions : contrôle de la tendance récente des ventes, contrôle de la probabilité d'atteindre ou de dépasser l'objectif annuel de ventes. On débouche sur un système intégré de prévision à court terme *(voir figure page 41)*.

Alors que les contrôles statistiques de qualité pour les fabrications existent depuis longtemps, le développement de méthodes analogues applicables aux séries chronologiques sont plus récentes.

Aujourd'hui, le concept de contrôle s'est largement répandu et les gouvernements ont bâti des indicateurs d'alerte et autres clignotants pour mettre en évidence toute dérive significative par rapport aux objectifs de politique économique.

Des techniques nouvelles ont été proposées. Citons la technique des sommes cumulées et celle, dérivée, utilisant un masque en forme de V. Si les erreurs de prévision sont de moyenne algébrique nulle, leur somme algébrique cumulée doit osciller autour de zéro sans prendre de dérive. On observe page suivante que le changement de tendance, parfaitement déce-

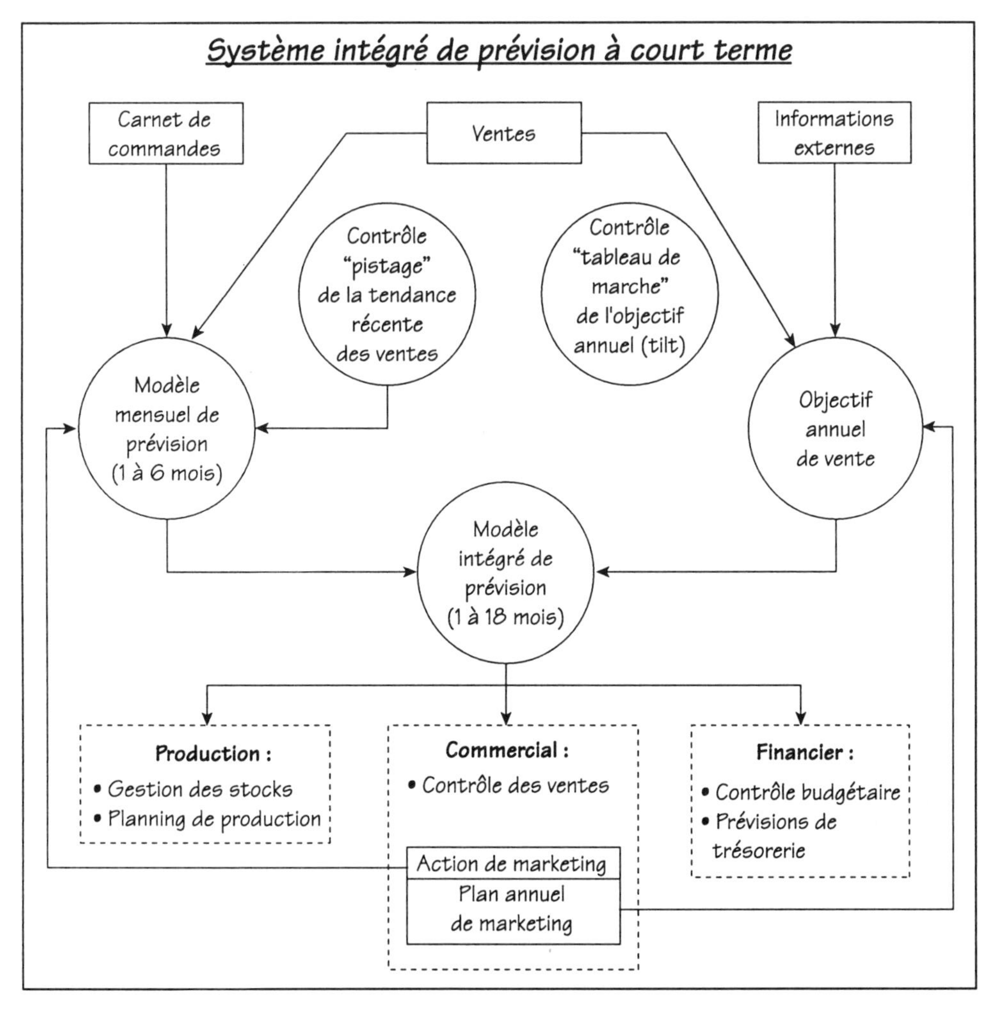

lable vers les mois 40 à 50 sur le graphique des sommes cumulées, est imperceptible sur le graphique des erreurs mensuelles. Pratiquement, on effectue souvent le test sur la somme cumulée à l'aide de la technique du « masque » dont la puissance dépend de deux paramètres : l'angle d'ouverture (qui suivant sa valeur, nous donne une mesure de l'erreur acceptable) et la distance du sommet de l'angle au dernier point connu (qui nous fait prendre en compte un historique plus ou moins long). Il y a changement de tendance lorsque la courbe coupe un des côtés de l'angle (cf. graphique ci-dessous).

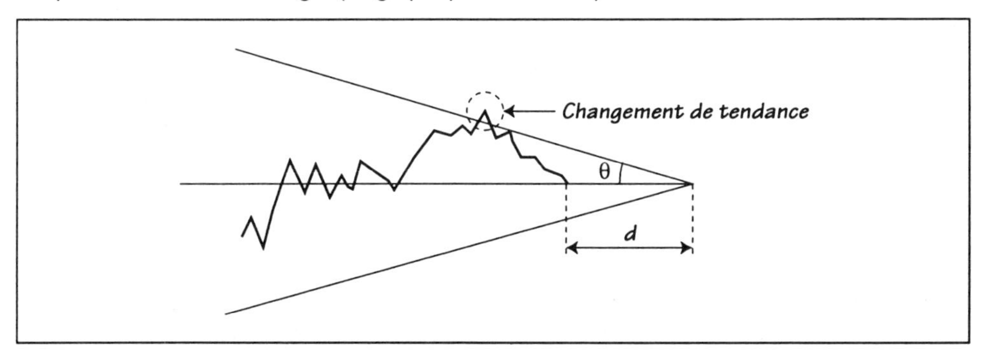

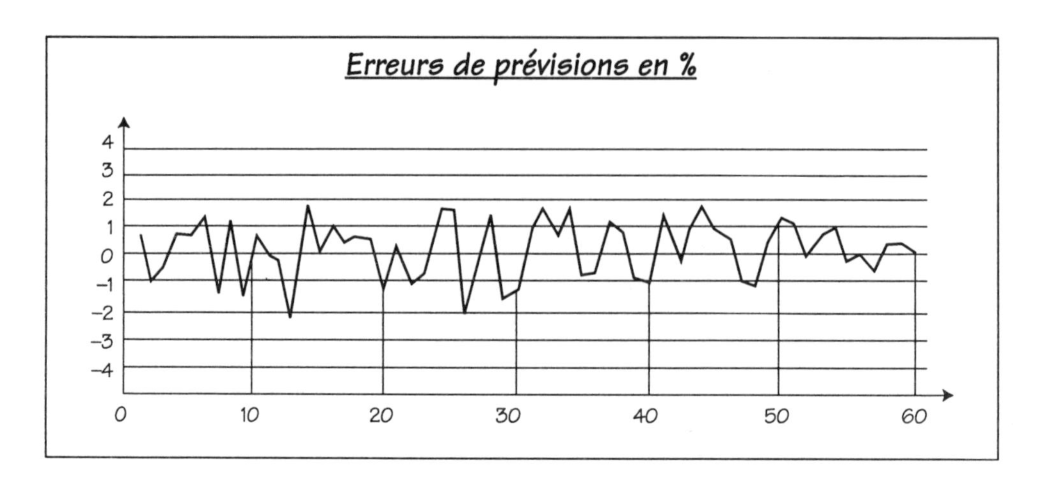

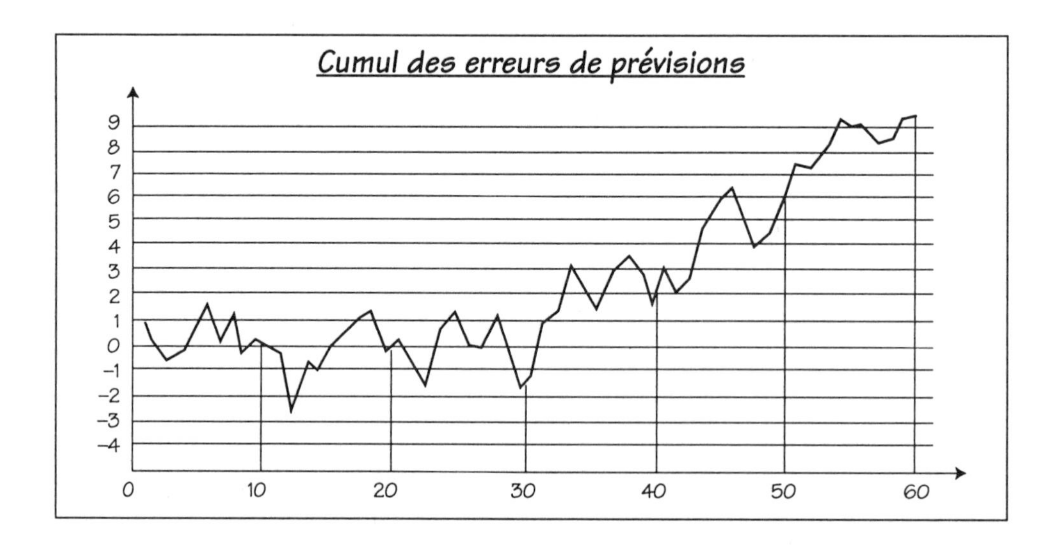

Les progrès dans les méthodes de contrôle ont à leur tour réagi sur les méthodes de prévision elles-mêmes ; ainsi G.E.P. BOX et G.N. JENKINS ont par exemple proposé un modèle de prévision dans lequel était intégrée la somme cumulée des erreurs.

A notre avis, il y a donc un choix à faire entre deux attitudes : compliquer la méthode de prévision en y incorporant par exemple la somme cumulée des erreurs, ou se limiter à l'emploi de la dernière erreur de prévision (modèle à deux aléas) et contrôler la dérive éventuelle de la somme des erreurs ; le choix dépend évidemment de la fréquence et de la régularité avec lesquelles joue la variable *cumul des erreurs*. Dans la pratique, nous avons constaté que dans la série chronologique des ventes d'un produit, de telles dérives se produisent irrégulièrement et pour des causes diverses.

Il est donc souvent préférable de ne pas perturber l'ensemble des prévisions et d'isoler les périodes correspondantes pour les étudier cas par cas.

Où vont les systèmes de prévisions à court terme ?

D'une part, ces systèmes auront tendance à tenir compte de manière de plus en plus fine des actions de marketing prévues et rejoindront des modèles de gestion de produits ou des systèmes d'information marketing (SIM).

D'autre part, ces modèles de prévision s'intégreront dans des systèmes plus vastes de gestion automatisée à court terme de l'entreprise ; les séries chronologiques de ventes proviendront alors directement de l'exploitation des facturations et les sorties des modèles se traduiront en tableau de bord des ventes pour les directions commerciales de marketing, en contrôle des budgets et prévisions de trésorerie pour la direction financière, et en données exploitables pour les modèles de gestion de production et des stocks.

Ainsi, qu'il s'agisse de modèles de moyen ou de court terme, on a pu constater une tendance très forte à se rapprocher des problèmes de l'entreprise et notamment du marketing. On l'a dit, il n'y a pas de marketing sans prévision, mais inversement la prévision doit toujours pouvoir être opérationnelle pour le marketing ; elle doit donc s'approcher le plus possible de situations réalistes, obligation qui a motivé le développement des modèles basés sur des segmentations. Par ailleurs, les méthodes de prévision s'intègrent chaque jour davantage dans le processus de planification de l'entreprise qui tend à s'identifier avec le processus de décision, car les décisions se prennent de plus en plus dans le cadre d'un plan d'ensemble.

On s'oriente ainsi vers un développement de la recherche d'informations systématiques et répétitives, qui permettront aux modèles d'avoir la souplesse et le caractère progressif nécessaires à cette insertion en « temps réel » dans les décisions des entreprises.

C. Globaliser ou individualiser ?

La globalisation est un stade d'internationalisation avancé de l'entreprise dans lequel ses activités sont organisées à l'échelle mondiale. Autrement dit, le monde devient un seul pays. Ce concept mis en place par les multinationales peut être repris à leur compte par les PME-PMI qui pourront l'appliquer à leur niveau national ou européen.

La globalisation concerne en théorie toutes les fonctions de l'entreprise, de la recherche à la production, mais se limite encore souvent au marketing. La globalisation n'entraîne rien de moins que la totale refonte de l'organisation. Les ressources et les responsabilités sont réparties entre les unités locales en fonction de leurs compétences, de leurs pôles d'excellence et des caractéristiques de leurs marchés.

C'est le cas du constructeur automobile FORD avec son programme « FORD 2000 » mis en place il y a quelques années, qui a consisté à scinder l'entreprise en cinq grands pôles géo-industriels, chacun chargé d'une ligne de produit pour le monde entier. Il incombe par exemple au pôle européen la responsabilité des petites et moyennes voitures sur la planète entière. L'Europe supervise de ce fait l'ensemble des usines de ce type de véhicules y compris les unités de production situées aux États-Unis. Les équipes européennes avaient démontré leur expertise sur ce type de modèles alors que les américains s'étaient vus confier les gros modèles et la production des boîtes automatiques.

La globalisation entraîne une forte décentralisation des responsabilités, et sa réussite dépend en grande partie de la capacité de coopération des différents centres de responsabilité. La démarche a donné lieu à l'expression « think global, act local ». La mise en place de cette démarche est longue car les méthodes de travail doivent être rodées afin que les synergies escomptées se produisent effectivement.

Le grand intérêt de la globalisation réside dans l'économie d'échelle qu'elle permet de dégager, les charges fixes étant réparties sur des zones plus larges. De plus, les dépenses de R&D ainsi que de marketing sont fortement rentabilisées.

L'uniformisation des produits entraînant quant à elle des économies significatives des postes publicités, conditionnement, distribution..., il est bien évident que la globalisation s'appliquera plutôt à des produits « universels » tels que voitures, transports aériens ou luxe dans un premier temps, et peu à peu à des produits à fortes spécificité locales.

L'idéal pour un industriel est de pouvoir vendre un même produit de base sans adaptation dans plusieurs pays différents, en appliquant les règles d'un marketing global uniformisé et standardisé pour tous. Le marketing global est une réminiscence de la mentalité d'économie de production à vouloir vendre et imposer le même produit déjà prémarkété, aux populations de différents pays. Il s'oppose donc à toute démarche de marketing mix adaptée aux situations et cultures locales.

Cette démarche globalisante est possible selon certaines conditions. Pour cela, il est nécessaire que le produit puisse être consommé partout, qu'il n'est pas de passé marquant ou trop typé, qu'il soit innovant avec une forte valeur ajoutée technologique. Les produits attachés à des stéréotypes valorisant comme le « made in France » pour la gastronomie passe assez bien en marketing global, ainsi que les marques ayant des racines reconnues au niveau mondial.

Les grandes entreprises nationales et internationales ont développé dans cette approche de globalisation trois grandes stratégies marketing :

- la stratégie pays par pays :
  elle consiste à appliquer progressivement les facteurs de succès d'une stratégie locale à une zone plus large et ainsi de suite.

- la stratégie de marque simultanée :
  elle consiste à lancer dès le départ des produits intégrant dès leur conception, les adaptations locales nécessaires.

- la stratégie de rachat de marques :
  cette option est la plus courante. Il s'agit de racheter des marques fortes dans les différents pays où l'industriel souhaite imposer ses propres produits. L'objectif est ainsi de s'imposer plus rapidement avec l'avantage d'un coefficient de sympathie plus grand.

Dans la plupart des grands pays industrialisés, la politique marketing générale est de favoriser l'homogénéisation et la standardisation des produits d'un pays à l'autre. Une étude d'Euro-RSCG nous donne selon le pays d'origine le pourcentage d'entreprises exportatrices poussant à un marketing global.

Allemagne	95,5 %
Grande Bretagne	94,7 %
Japon	85,7 %
Suisse	80,0 %
États-Unis	77,2 %
France	69,0 %
Italie	60,0 %

Pour les managers des pays occidentalisés la tendance est nette. Tout ce qui se rapporte à la position du consommateur local est d'une importance relative voire secondaire.

Lors de cette même étude, il était demandé aux managers les raisons qui conduisaient à une adaptation nécessaire ou désirable des marques au pays d'accueil, c'est-à-dire à pratiquer un marketing mix spécifique plutôt qu'un marketing global :

Manager déclarant l'adaptation nécessaire et désirable (en %) :

Concurrence	81,4 %	Image des marques	67,2 %
Habitudes de consommation	79,6 %	Style de vie	64,3 %
Notoriété de marque	72,9 %	Structure de distribution	63,8 %
Réglementation	72,8 %	Histoire des marques	59,0 %
Attente des consommateurs	71,9 %	Pouvoir d'achat	55,2 %
Disponibilité des médias	71,9 %	CA de la filiale	53,9 %
Culture	71,9 %	Normes de fabrication	46,2 %
Audience des médias	70,9 %	Âge des consommateurs	35,3 %
Succès des plans marketing	69,1 %		

S'il existe un domaine où la globalisation ne peut pas se faire, c'est celui de la promotion de proximité, suivie de près par le marketing direct, ces deux techniques nécessitant une parfaite adaptation à la cible. À l'inverse, l'identité graphique de l'entreprise ne nécessite pas de révision et peut être commune à l'ensemble des pays. Pour les Euro-marques, l'étude Euro-RSCG a mis en évidence les paramètres qui pouvaient être globalisés :

Globalisation possible (en %) :

Logo, identité graphique	93 %	Sponsoring culturel	32 %
Nom de marque	81 %	Sponsoring sportif	29 %
Caractéristiques physiques du produit	67 %	Stratégie publicitaire	29 %
		Exécution publicitaire	29 %
Emballage	53 %	Prix relatif	24 %
Service après-vente	48 %	Marketing direct	18 %
Canaux de distribution	46 %	Promotion	10 %

Si la globalisation a ses partisans, l'individualisation a les siens. L'individualisation a pour objectif de capter l'intérêt, la décision puis la fidélisation du client dans le cadre de l'anticipation du changement. Pour mener à bien cette démarche, six principes sont mis en avant :
- l'innovation des produits et des services,
- l'amélioration de la fonctionnalité ergonomique, le design et la simplicité,
- le développement du multi-usage du produit de façon à faire plusieurs produits ou rendre plusieurs services en UN,
- l'hyper-personnalisation du produit ou du service, lorsque cela est possible. Pour les marchés de masse à large bande géographique, il s'agit de décliner un produit marketé à l'essentiel selon les cultures locales. Ainsi, l'exportation doit-elle obligatoirement tenir compte des préférences locales,
- la promotion et la stimulation de proximité selon les modes divers et attrayants,
- la recherche permanente de nouveaux marchés géographiques et de clientèle typée, par la déclinaison appropriée des produits et des services.

Le ciblage voire l'hyper-ciblage sont alors les outils d'un marketing opérationnel. La démarche de ciblage entraîne :
- une réflexion permanente sur les adaptations des services et produits existants afin de les décliner en de nombreuses variantes ;
- une définition affinée et ciblée des besoins à satisfaire dans le registre de l'entreprise afin d'affirmer son avantage concurrentiel ;
- une représentation précise de la population ou du marché à solliciter afin de développer une approche qualitative préférée à une approche quantitative (c'est-à-dire de volume) source de coûts élevés dont les rendements seraient faibles ou incertains. On privilégiera un marketing de niche avec comme maxime « small is beautiful ».

Le développement des mégabases de données du géomarketing a permis à l'individualisation de démontrer son intérêt.

De plus en plus, les bases de données remplacent les études de marché basées sur des typologies restreintes au nombre limité de critères. Les mégabases facilitant un marketing de haute précision, permettent d'enregistrer et de traiter toutes les informations utiles sur les comportements des clients et des consommateurs. Elles jouent le rôle de grandes mémoires actives, dans lesquelles se croisent des milliers de critères permettant de générer ensuite des actions pointues de marketing direct au cœur de cibles.

Afin d'apporter une aide utile à la décision visuelle, des logiciels de cartographie à prix très abordables et des systèmes d'information géographique permettent de définir précisément les zones de chalandise et de dissémination des clients. L'organisation visuelle de l'information s'apparente ainsi à des cartes d'état-major, offrant la meilleure perspective de décision et de compréhension à partir d'un référentiel géographique précis.

Le géomarketing est fait pour un usage quotidien dans l'entreprise, et permet de visualiser sur un fond de carte des données statistiques obtenues à partir d'un fichier d'adresse et de fichiers commerciaux. Son principal avantage résulte d'une lecture pratique et concrète visualisable par tous et beaucoup moins abstraite que les chiffres.

II La stratégie d'entreprise mène le marketing

A. La pensée stratégique

Les premiers modèles de décisions stratégiques de l'entreprise apparaissent au début des années 60 et sont construits autour de trois axes dont la combinaison permet l'expression de la formulation d'une stratégie : l'étude des caractéristiques de l'environnement concurrentiel, l'analyse des caractéristiques et des objectifs de l'entreprise et la compréhension de l'univers sociétal. Les axes de réflexion orientés principalement vers l'élaboration de systèmes de planification stratégique conduisent à partir d'une analyse des conditions de la formulation stratégique (fixer les buts) et de sa mise en œuvre (faire progresser l'organisation dans la réalisation de ces buts), à l'émergence des premiers modèles formalisés.

Dans ce contexte, le marketing va devoir devenir un outil au service de la stratégie de l'entreprise. Il devra parfois oublier l'analyse des besoins du consommateur pour rechercher des opportunités de marché en fonction des orientations données par la stratégie de l'entreprise, définie en dehors des contraintes marketing.

En 1962, la planification stratégique reçoit sa première illustration formalisée, F. Gilmore et R. Bradenburg. Ils définissent le plan stratégique comme l'expression des relations de l'entreprise avec son environnement. Ils proposent un processus découpé en quatre phases successives et interactives :

1. La détermination de la variation économique de l'entreprise
   (comment choisir les domaines d'activité et fixer les objectifs à atteindre ?).

2. Le choix de la stratégie concurrentielle
   (comment atteindre les objectifs visés dans chaque domaine d'activité de l'entreprise ?).

3. L'établissement du programme d'action d'ensemble
   (comment programmer les opérations nécessaires pour réaliser la stratégie choisie ?).

4. La réévaluation du plan directeur stratégique
   (quand et comment modifier le plan à moyen et long terme ?)

Ce modèle met en évidence des concepts clés qui ne vont pas cesser d'être utilisés au cours des trois décennies suivantes :
– les domaines d'activité,
– le profil de compétence et de ressources,
– la synergie,
– le profil des capacités fonctionnelles,
– l'avantage compétitif.

Pour résumer, le modèle de Gilmore et Bradenburg décrit la stratégie pertinente comme l'expression d'une relation d'adéquation entre trois éléments :
– les compétences qui distinguent l'entreprise et lui confèrent un avantage compétitif, les opportunités des couples produit/marché dans son environnement

– les effets de synergie des structures fonctionnelles
– les performances de chaque domaine

La contribution de Gilmore et Bradenburg à la théorie stratégique est majeure même si l'histoire ne retiendra que les noms de ceux qui s'en sont inspiré pour développer toute une batterie d'outils et de modèles dans les années qui suivirent.

Dans un mouvement où se mêlent universitaires et consultants, chercheurs et praticiens, guides et gourous, de nouveaux outils apparaissent à un rythme qui favorisent une obsolescence accélérée des outils existants et brouille souvent le processus concret de décision dans l'entreprise. À la fascination des succès des entreprises de l'empire du Soleil levant va correspondre le foisonnement de modèles à orientation technologique. À la recherche des causes des performances des entreprises dans un environnement perturbé va correspondre l'illusion de la recherche de l'excellence. À l'incertitude croissante d'un monde en crise vont correspondre des outils dérivés de l'incantation prospective des outils dérivés de l'analyse des ressources.

Dès 1993, Jean-François David pose dans la revue d'IBM (Idée n° 12) le problème dans un article intitulé « Modèles et stratégie d'entreprise » :

« Séminaires, colloques, gourous... les décideurs ont-ils vraiment besoin de passer à la moulinette des concepts érigés en modèles pour conduire leur action et gagner leur bataille quotidienne ? Peuvent-ils pour autant faire l'économie d'une remise en question et se priver d'un atout supplémentaire dans la recherche du Graal ?

La fréquentation des séminaires et colloques montre, depuis plusieurs années, l'attente, voire la recherche éventuellement désespérée de nouveaux paradigmes, de nouvelles grilles de décodage du monde permettant au dirigeant de conduire des actions. Souvent créés par d'éminents professeurs de Harvard, de Wharton ou du MIT, véhiculés dans tous les MBA, les formations avancées de cadres..., ils subissent comme les phénomènes de mode, un renouvellement rapide, chaque grille « dépassant », dans une sorte de synthèse, l'ensemble des précédentes.

Il y eut, par exemple, l'ère de la diversification, puis du recentrage vers les vraies racines, le « bonsaï », les vrais métiers de l'entreprise, puis des stratégies d'alliances nécessaires.

Il y eut le temps des approches de segmentation stratégique, où il fallait absolument choisir pour ses produits et services le coût ou la différenciation, suivi de l'ère du « sur mesure de masse » où il s'agit de gagner à la fois sur les deux, être différencié, rapidement et à faible coût...

Il y eut l'ère de la qualité des produits, de la qualité des processus, de la qualité orientée marché, orientée client...

L'informatique échappe encore moins que d'autres disciplines à ces vagues idéologiques. Des systèmes d'information intégrés aux systèmes d'aide au management de l'informatique conviviale à l'informatique « stratégique », des systèmes distribués au « right-sizing », chacun de ces concepts, certes chargés de sens, semble périmer les précédents...

À quoi servent donc ces modèles successifs d'aide à la « planification stratégique » ? Peut-on diriger sans lire assidûment Havard Business Review ? Ces représentations réductrices du monde sur deux axes et quatre quartiles ont-elles une place privilégiée dans le cerveau des décideurs ?
Ces théories sont-elles plus vraies parce qu'étayées par de multiples « success stories » ?
Lesquelles survivront à la mode ?

Le rôle des modèles

Soyons clairs : aucun dirigeant ne prend ses décisions stratégiques sur un modèle.
Le rôle des modèles est malgré tout souvent crucial :
- *pédagogiques, suscitant la réflexion stratégique de groupe,*
- *prospectifs, permettant à l'entreprise de tracer des scénarios,*
- *pré-opérationnels, en aidant au maquettage de changements possibles et en éclairant les priorités des organisations...*

Sourire de l'utilisation abusive souvent faite des modèles n'en supprime pas l'intérêt.Terminons donc notre clé du futur par quelques interrogations, au cœur des problèmes des organisations actuelles.

Mes stratégies prennent-elles bien en compte les possibilités offertes par les technologies explosives de l'information ?
À la lumière de mes stratégies, quels processus, quelles activités sont à optimiser en priorité ?
Quelle est ma distance, processus par processus, en qualité, en satisfaction client, en vitesse, en coûts par rapport à mes concurrents ?
Puis-je m'améliorer de façon continue, ou mon problème est tel que je ne puisse réussir que par de la transformation fondamentale ?
Quel impact sur mes structures, mes hommes ?
Quelles pourraient être les clés du futur ? »

L'objet de cet ouvrage n'est pas de faire une présentation exhaustive des outils et modèles stratégiques qui ont été développés. Nous avons donc fait un choix et gardé les modèles qui ont marqué les différentes étapes de la pensée stratégique.

Pour les modèles à orientation technologique, nous avons retenu la courbe en S « performance/recherche » ; pour la recherche de l'excellence, le modèle des 7 S et les matrices de gestion du portefeuille d'activités ; pour l'analyse des ressources, nous évoquerons le reegineering ; d'autres méthodes seront aussi développées dans le chapitre sur les outils du marketing.

B. La courbe en S « performance/recherche »

Après avoir répertorié et analysé les technologies auxquelles l'entreprise fait appel de façon à en maîtriser l'évolution et donc l'avenir de l'entreprise, on en trace le cycle de vie, en partant de l'hypothèse que la performance d'une technologie donnée dépend de l'effort de recherche développé par l'entreprise. De là, il est alors possible de tenter de gérer l'évolution technologique et ses ruptures de façon à ce que l'entreprise choisisse le moment opportun pour initier un changement technologique.

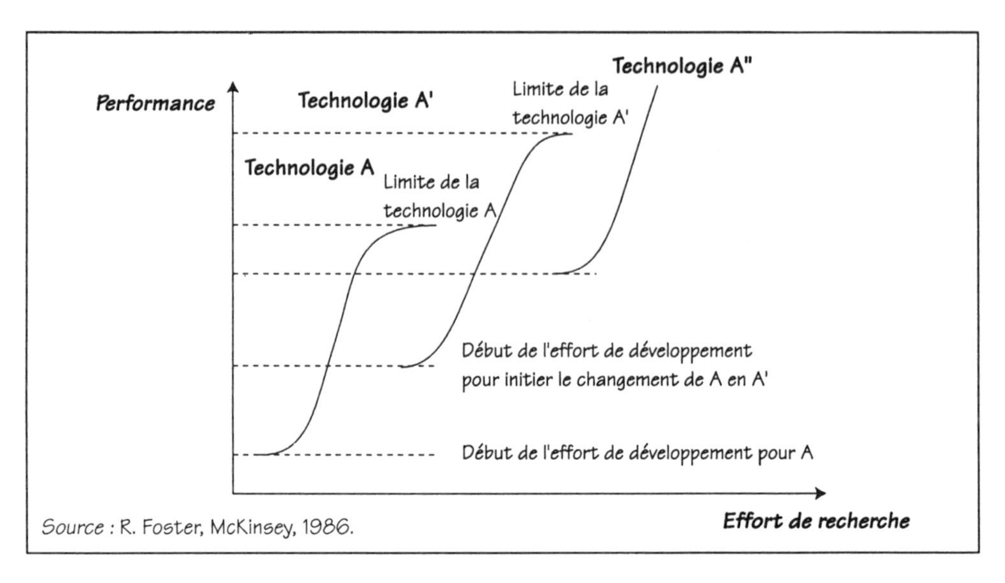

Source : R. Foster, McKinsey, 1986.

S'il semble évident à la vue du graphique que l'entreprise, grâce au modèle en S, est toujours sur une vague porteuse, dans la réalité la mise en œuvre ne va pas d'elle-même. En effet, lorsque l'entreprise est sur la pente ascendante tout va bien et, en conséquence, il est difficile pour les personnes concernées de vouloir changer quoi que se soit. Or, c'est à ce moment (point A du graphique ci-dessous) qu'il faut effectivement commencer à intégrer dans l'entreprise une rupture technologique. Rupture technologique dont on n'est pas sûr du bien-fondé et de la réussite commerciale. Aussi, le doute s'empare souvent des équipes qui sont en train de vivre un succès que l'on semble leur voler en leur imposant un terme.

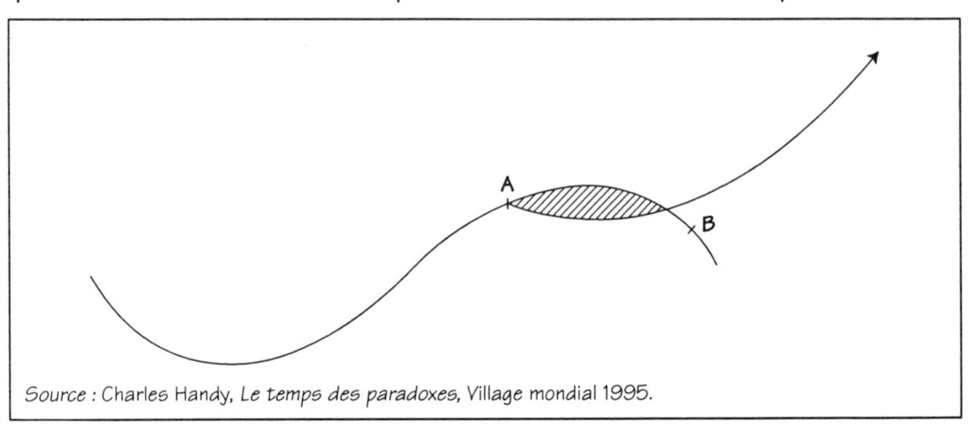

Source : Charles Handy, *Le temps des paradoxes*, Village mondial 1995.

C. Le modèle des 7 S

Le succès de ce modèle est déjà atteint par le record des ventes d'ouvrages de gestion qu'ont obtenu ses auteurs, Tom J. Peters et Robert H. Watermann, avec leur ouvrage « le prix de l'Excellence » (1982). Peters et Watermann ont constitué un échantillon de 62 entreprises américaines et ont recherché les points communs qui peuvent expliquer leur succès. Ils ont d'abord considéré les 7 variables (les 7 S) interdépendantes dont l'harmonisation assurera le succès de l'entreprise (Stratégy, Structure, Systems, Style, Skills, Staff et Shared values).

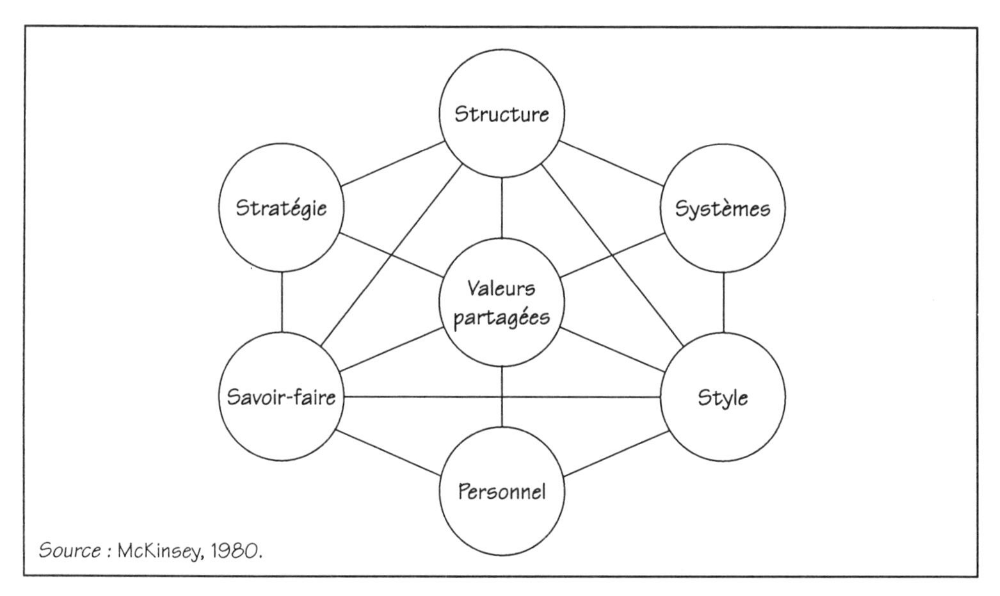

Source : McKinsey, 1980.

L'analyse des 62 entreprises suivant ces 7 variables a permis aux auteurs de déterminer les conditions de « l'excellence » à la base du succès des entreprises.

Les huit caractéristiques de l'excellence :

1. Le parti pris de l'action : agir avant tout.
2. Rester proche du client : apprendre de ses clients.
3. L'autonomie et l'esprit d'entreprise : encourager l'innovation et générer des « champions ».
4. Une productivité fondée sur le personnel : traiter la base comme source de qualité.
5. La mobilisation autour d'une valeur clé : le management montrant son engagement.
6. S'en tenir à ce que l'on sait faire : rester dans le cadre des affaires que l'on connaît.
7. Une structure simple et légère : certaines des meilleures entreprises ont des équipes dirigeantes réduites.
8. À la fois souplesse et rigueur : une autonomie laissée aux secteurs en prise avec la clientèle et des valeurs centralisées.

D. Les matrices de gestion du portefeuille d'activités :

Trois cabinets de conseil ont attaché leur nom à ces matrices. Il s'agit du Boston Consulting Group (BCG), de Mc Kinsey et de Arthur D. Little (ADL) avec :
– le modèle croissance / part de marché du BCG
– le modèle atouts / attraits de Mc Kinsey
– le modèle maturité / position concurrentielle d'ADL

Pour chacun de ces modèles, deux critères sont pris en compte, décomposés en modalités et croisés pour déterminer un tableau à double entrée (matrice) et à plusieurs cellules : 4 pour le BCG, 20 pour le Mc Kinsey et 9 pour ADL.

Chaque cellule a des caractéristiques particulières pour les produits ou famille de produits qui s'y trouvent permettant de définir pour chacun la stratégie à adopter. Il est évident que le caractère instrumentaliste de ces matrices a contribué à leur succès.

1) La matrice du BCG – modèle croissance / part de marché

Dans ce modèle, le succès d'une entreprise dépend du marché sur lequel elle se positionne (potentiel de croissance) et de sa capacité à s'imposer par rapport à la concurrence (part de marché). Le potentiel de croissance fait appel au taux de croissance du secteur sur lequel l'entreprise intervient, donc sa position sur sa courbe de vie. Quant à sa capacité à s'imposer, elle se mesure par sa pénétration concurrentielle, c'est-à-dire sa part de marché par rapport à son principal concurrent (part de marché relative = part de marché de l'entreprise/part de marché du principal concurrent).

Pour ces deux critères, il est défini deux modalités donc une matrice à quatre groupes de produits-marchés :

Pénétration concurrentielle

Potentiel de croissance	Forte (10 – 8 – 4 – 2 – 1,5 – 1)	Faible (1 – 0,5 – 0,3 – 0,1)
+ x %	VEDETTES Maintien ou développement de la part de marché Conforter	DILEMMES Marketing de développement ou retrait Investir ou abandonner
– x %	VACHES À LAIT Soutien de la demande générale et maintien de la part de marché Rentabiliser	POIDS MORTS Désinvestissement Abandon progressif

Le BCG a édicté une règle d'équilibre du portefeuille produits/marchés :

Les profits des produits *vaches à lait* doivent être investis sur les produits dilemmes pour en faire des produits vedettes.
Cette règle s'explique par la rentabilité financière de chaque catégorie de produits.

VEDETTES Besoins financiers élevés Absorption des liquidités ← Rentabilité élevée ou faible	DILEMMES Besoins financiers élevés Rentabilité faible ou négative
VACHE À LAIT Besoins financiers faibles ↗ Génèrent des liquidités Rentabilité élevée	POIDS MORTS Rentabilité faible ou négative Besoins financiers faibles

2) La matrice Mac Kinsey – modèle atouts/attraits

Ce modèle développé par le cabinet Mac Kinsey se différencie de la matrice du BCG par les critères pris en compte mais surtout par son caractère qualitatif à l'inverse du caractère exclusivement quantitatif du BCG. Les deux axes de la matrice sont ici l'intérêt stratégique du domaine d'activité et la position concurrentielle de l'entreprise dans ce domaine. L'évaluation qualitative de ces deux critères (qui sont en fait une somme de critères) pourra être menée de manière différente pour chaque entreprise et modifiée dans le temps en fonction des évolutions tant de l'entreprise que de son environnement.

À titre d'exemples, les critères mesurant la position concurrentielle de l'entreprise dans chaque segment (les atouts) pourraient être : part de marché potentielle, qualité de l'outil de production, maîtrise des actions marketing, rentabilité, capacité à faire face au changement, étendue des compétences, etc. Quant aux critères mesurant la valeur des segments stratégiques (les attraits), ils pourraient être : taux de croissance potentiel, taille des segments, nature des concurrents, degré de concentration, barrières à l'entrée et à la sortie, risque de substitution de produits, sécurité des approvisionnements, complexité technologique, etc.

Tous ces critères sont évalués par rapport au principal concurrent sur une échelle en 5 points, une pondération des critères est ensuite effectuée en fonction de leur importance dans le secteur concerné afin d'obtenir une note globale mesurant la position concurrentielle de l'entreprise sur son domaine d'activité stratégique (DAS). Les différents DAS de l'entreprise sont reportés dans la matrice et les préconisations stratégiques sont obtenues.

	ATOUTS		
ATTRAITS	forts	moyens	faibles
forts			
moyens			
faibles			

Les prescriptions stratégiques selon le modèle Mc Kinsey :

ATTRAITS de chaque segment stratégique (+ → –) \ ATOUTS	FORTS	MOYENS	FAIBLES
FORTS	*Développement* • Maintenir la position de leader en luttant à outrance par l'investissement • Concentrer tous les efforts sur le maintien d'atouts élevés • Maintenir la structure des marges • Rechercher la domination	*Développement sélectif* • Croître sélectivement en tentant d'améliorer la position là où les atouts peuvent être conservés, et concentrer les investissements dans ces domaines • Valoriser le potentiel de *leadership* par segmentation	*Sélectivité* • Tester prudemment les opportunités de croissance • Doubler la mise ou se retirer si la croissance n'est pas élevée • Se spécialiser et rechercher les niches • Développer alliances et coopérations
MOYENS	*Développement sélectif* • « Try harder » • Conserver l'avantage après identification des segments de croissance • Développer la capacité à contrer la concurrence • Éviter les investissements à grande échelle • Améliorer la rentabilité par des gains de productivité	*Sélectivité* • Concentrer les investissements et se développer dans les seuls segments à bonne rentabilité et à faibles risques	*Abandon sélectif* • Croître de façon limitée ou se retirer • Rechercher des niches à faible risque et, en cas d'insuccès, envisager la sortie • Multiplier les éléments de protection
FAIBLES	*Sélectivité* • Moissonner sélectivement • Réduire le niveau de risque dans plusieurs segments : réduire la gamme • Sauvegarder la rentabilité et rechercher le cashflow même au prix d'une perte de part de marché	*Abandon sélectif* • Moissonner intensivement en élaguant • Rechercher la transformation des coûts fixes en coûts variables • Se retirer sélectivement, par segmentation, en rentabilisant par l'analyse de la valeur et la sélection des clients	*Abandon* • Minimiser les pertes en évitant d'investir et en réduisant les coûts fixes • Programmer la sortie et désinvestir

\+ ← ATOUTS de l'entreprise sur chaque segment (positionnement concurrentiel) → –

D'après OHMAE (1982), HAX et MALHUF (1983)

3) La matrice ADC – modèle maturité/position concurrentielle

Là encore, la logique matricielle s'appuie sur deux axes qui sont la position du secteur d'activité sur la courbe du cycle de vie et la position concurrentielle de l'entreprise évaluée par une analyse multicritères (approche subjective comparable au modèle Mc Kinsey). On obtient une matrice avec 20 cellules auxquelles correspondent des préconisations stratégiques.

	Lancement	Croissance	Maturité	Déclin
Dominante	*Développement naturel* • Efforts intenses pour entrer sur le marché • Tenir la position en investissant à un rythme plus rapide que le marché	*Développement naturel* • Tenir la position en défendant la part de marché • Investir intensivement pour créer une barrière à l'entrée de nouveaux concurrents	*Développement naturel* • Tenir la position par un investissement compatible avec l'évolution du segment	*Développement naturel* • Tenir la position en évitant les investissements excessifs • Occuper des niches • Coopérer
Forte	*Développement naturel* • Améliorer la position par un effort intense en R&D et en qualité, et en rythme d'investissements plus rapide que l'évolution du marché	*Développement naturel* • Améliorer la position en tentant de croître plus rapidement que le marché • Acheter des parts de marché (croissance interne et externe)	*Développement Naturel* • Garder la position en se développant au rythme du segment	*Développement sélectif* • Garder la position en évitant les investissements excessifs et rentabiliser
Favorable	*Développement naturel* • Effort sélectif pour acquérir une part de marché • Tenter d'améliorer la position par l'investissement	*Développement naturel* • Tenter d'améliorer la position en achetant des parts de marché	*Développement sélectif* • Créer une niche et développer des barrières à l'entrée • Minimiser l'investissement	*Développement sélectif* • Rentabiliser (investir au minimum) ou • Se retirer pas à pas
Défendable	*Développement naturel* • Agir avec prudence et choisir avec précision le montant et la nature des investissements	*Développement sélectif* • Trouver une niche et développer sa protection • Investissement minimal	*Développement sélectif* • Trouver une niche et se cramponner avec réinvestissement minimal • Ou se retirer progressivement et désinvestir	*Retournement ou abandon* • Se retirer progressivement ou : • Désinvestir • Abandonner
Marginale	*Retournement ou abandon* • Rechercher une amélioration de la position concurrentielle • Ou procéder à la liquidation	*Retournement ou abandon* • Rechercher une amélioration de la position concurrentielle • Ou abandonner	*Retournement ou abandon* • Rechercher une amélioration de la position concurrentielle • Ou se retirer progressivement	*Abandon* • Abandonner rapidement

E. L'analyse des ressources

Les modèles stratégiques ont une forte influence sur les orientations marketing des entreprises et en particulier sur leur politique produit. Comme le domaine marketing, les relations humaines ont été elles aussi touchées ce qui, au niveau du marketing, a fortement influencé l'organisation des forces de vente. Ces évolutions ont été marquées par la réorganisation de l'entreprise autour de ses processus opérationnels, ce que l'on a appelé le reengineering.

Le reengineering souhaite répondre aux principales questions de l'entreprise :
– Comment réduire les coûts et les délais ?
– Comment améliorer la qualité et satisfaire le client ?
– Comment résoudre les dysfonctionnements internes ?

Pour Michael Hammer, professeur au MIT, initiateur de la méthode, le principe est brutal : Pour augmenter de façon significative la profitabilité d'une entreprise, il ne suffit pas de « raccommoder » une organisation, il faut la rebâtir à partir de zéro. La logique de restructuration est innovante car elle s'intéresse aux mesures opérationnelles essentielles pour le client.

Par exemple, mes clients souhaitent-ils rencontrer un représentant pour l'ensemble de notre gamme de produits ou en rencontrer plusieurs, chacun spécialisé par famille de produits ? Les méthodes utilisées pour identifier les processus opératoires et adapter ensuite la structure sont des outils classiques : analyse de la performance, inventaire des dysfonctionnements, choix des scénarios, etc. C'est l'optimisation des enchaînements des activités qui concourent à produire un résultat satisfaisant pour le client.

Le processus de reengineering a entraîné dans la majeure partie de son application des suppressions de postes et dans tous les cas des modifications sensibles quant au contenu des fonctions. Le reengineering s'est affronté aux résistances au changement des organisations et là, les méthodes utilisées n'apportent pas de solution. Le bilan global de ces opérations de reengineering est mitigé même si pour plus de la moitié des entreprises ayant adopté cette démarche des gains de productivité et des réductions de coûts significatives ont été constatés.

Souvent, la démarche de reengineering s'accompagne du développement d'un savoir-faire spécifique à l'entreprise, ce que l'on appelle les compétences clés. La compétence clé est un savoir-faire ou une technologie spécifique, susceptible d'offrir une réelle valeur ajoutée au client. La compétence clé doit permettre à l'entreprise de s'assurer un avantage concurrentiel durable ; outre le fait qu'elle satisfait les attentes clients, elle permet d'élever des barrières contre les attaques concurrentielles éventuelles.

Devant les difficultés du reengineering à s'imposer, un autre principe d'organisation est apparu… le modèle des 4R : Réorienter, Restructurer, Revitaliser et Renouveler.

Ce modèle est une synthèse des concepts de reengineering, de compétence clé, de gestion des compétences, de management par projet, du travail en équipe autonome, de la motivation du personnel, etc.

Réorienter : c'est d'abord se réunir pour élargir une réflexion commune sur le devenir de l'entreprise. Cette phase est accompagnée d'une évaluation permettant de traduire l'entreprise en objectifs à tous les niveaux : résultats financiers, mesure du degré de satisfaction des employés...

Restructurer : c'est le principe de la cure d'amincissement pour devenir plus légère, précise, réactive, rapide...

Revitaliser : c'est en premier lieu la capacité à se mettre dans la peau du client et à apporter des services nouveaux. C'est ensuite utiliser ses compétences principales pour engendrer de nouveaux types d'activité. Pour atteindre cet objectif, les entreprises doivent éviter de se morceler en unités séparées, isolées et repliées sur elles-mêmes. Au contraire, elles doivent mettre en place des équipes pluridisciplinaires, voire des alliances stratégiques au sein de leurs différents départements.

Renouveler : c'est changer les habitudes et les relations avec les fournisseurs et partenaires commerciaux. Étendre le système d'évaluation et de rémunération au-delà du cadre habituel. Récompenser les salariés qui acquièrent des compétences nouvelles et repenser les systèmes de promotions internes, afin d'améliorer la motivation des hommes et la prolifération des idées. Il semble pourtant que la mise en pratique de la « transformation » ne soit pas une mince affaire, compte tenu notamment de la grande résistance de bon nombre de dirigeants, aux vrais changements humains et relationnels dans l'entreprise.

Chapitre II

MARCHÉS ET CONSOMMATEURS

La satisfaction des besoins et des désirs du consommateur tient une place centrale dans l'approche marketing.
Avant d'étudier les évolutions récentes des marchés et des consommateurs, il est important de préciser ces différents termes.

"Un besoin naît d'un sentiment de manque... Pour survivre l'être humain a besoin de manger, de se vêtir, de s'abriter, d'être en sécurité, de se sentir membre d'un groupe et d'être estimé.[1]" Ces besoins sont simplement liés à la condition humaine, et ne sont pas créés par le marketing et les marchands.
"Un désir concerne un moyen privilégié de satisfaire un besoin[2]"... Un individu a besoin de manger et désire un hamburger ou un confit de canard...

On comprend bien que les besoins soient en nombre limité, et que les désirs dépendant de l'époque, de la société, de la culture... soient illimités.

Or, on confond souvent besoin et désir. Ainsi une voiture ne sert pas seulement à se déplacer, mais à se mouvoir librement et à s'affirmer. Une chaîne hi-fi ne sert pas seulement à produire un son de qualité, mais à rêver en écoutant de la musique...

Confondre besoins et désirs conduit à brider une créativité source de nouveaux produits et services, de nouveaux marchés et de croissance économique. C'est aussi oublier que tous ces objets (automobile, micro-ordinateurs, vêtements, chaîne hi-fi...) sont des instruments à plaisir, et doivent donc être conçus, fabriqués et promus comme tels. C'est la Twingo de Renault face à la Polski, l'iMac d'Apple face aux clones PC taiwanais...
Comme le souligne Jean-Louis Gassée, "les objets doivent être conçus autant pour le plaisir que pour l'efficacité".[3]

DÉCOUVRIR

La mondialisation des marchés et ses conséquences

La construction à marche forcée de grands blocs économiques est l'un des éléments majeurs de ces dernières années : l'Union Européenne en route vers la monnaie unique succède à la CEE, les États-Unis et le Mexique signent un accord de Libre-Échange...

Quelles sont les conséquences concrètes de cette mondialisation ?
- l'émergence de grands marchés, auxquels les entreprises peuvent accéder plus facilement : disparition des "frontières intérieures", monnaie unique...
- une concurrence désormais mondiale, qui favorise le développement de grands groupes comme Coca-Cola, Microsoft ou Boeing... et plus généralement favorise la concentration

[1] et [2] In *Marketing Management*, Philip Kotler, Bernard Dubois. op. cit. page 13.
[3] In *La 3e pomme, Micro-informatique et révolution culturelle*, J.-L. Gassée, op. cit. page 10.

dans la plupart des secteurs, tant au niveau de la production de biens et de services, que de la distribution.

Plus concrètement, les décisions quotidiennes du responsable marketing sont impactées.

– Doit-il concevoir une même campagne de communication pour tous les pays industrialisés du monde, travailler au niveau des trois grands blocs économiques (Amériques, Europe, Sud-Est asiatique) ou encore prévoir des créations différentes dans chaque pays européen pour tenir compte des particularités (ou particularismes) culturels ?

– Sa politique de prix doit-elle être différenciée selon les pays de l'Union Européenne pour tenir compte des conditions locales (place sur le marché, force des concurrents, image de la marque auprès des consommateurs...) ou être unique sur l'ensemble du territoire.

Dans le premier cas, il peut espérer optimiser en fonction de ses objectifs (rentabilité, conquête de part de marché), mais peut souffrir d'effets négatifs quant à son image (le client français comprend mal le fait de payer une Renault 20 % plus cher en France qu'en Espagne) et voir son réseau de distribution concurrencé par des intermédiaires passés maîtres dans l'art d'acheter dans les pays où les prix sont bas, pour revendre aux consommateurs des pays où les prix sont élevés.

Dans le second cas, sa politique tarifaire est d'une lisibilité parfaite, mais il n'optimise pas le niveau de prix en fonction des spécificités du pays, d'où un risque de manque à gagner (s'il pouvait se permettre de vendre plus cher) ou une moindre attractivité (s'il est au-dessus du prix que de nombreux consommateurs sont prêts à payer).

La déréglementation de nombreux secteurs (transports, activités financières...) remet en cause les marchés protégés et oblige les acteurs à séduire des consommateurs sur le marché français, mais aussi mondial.
Ainsi France Telecom développe-t-elle une stratégie efficace sur de nouveaux marchés : portable (Itinéris), accès Internet et mise en ligne de contenus (Wanadoo), développe de nouveaux services (formules d'abonnement souples pour s'adapter à la diversité des situations individuelles) et noue des partenariats pour se développer sur le marché mondial.

II L'évolution des modes de vie

A. Des années 50 à l'an 2000

Pendant les années cinquante et les années soixante, l'intégration à la société était basée sur le travail salarié et la famille composée des parents et deux enfants en moyenne. La consommation était un moyen de montrer sa réussite sociale.

Au cours des années 70 et 80, la structure familiale éclate, le développement de la consommation hédoniste se propage, parallèlement à la diffusion du marketing et la multiplication des stratégies de segmentation des entreprises.

Les années 90 sont d'abord marquées par la peur du chômage qui atteint en France 12 % de la population active contre 3 % en 1973. Chacun se replie sur soi et les entreprises mettent en avant les valeurs destinées à rassurer les consommateurs : famille, terroir, tradition, santé.
Cet imaginaire, régressif, ne sera pas durablement porteur et la deuxième moitié des années 90 est placée sous le signe de l'initiative et de la prise de responsabilités.
C'est le passage d'un état de société salariale à celui d'une société post-salariale ou société de développement, fondée sur l'apprentissage permanent, la valorisation de l'expérience...
Selon Bob Aubrey[1], "il appartient à l'individu de gérer son portefeuille d'activités, qui constitue son véritable capital humain, en fonction de ses besoins personnels et professionnels et des différentes périodes de son existence".
Chacun doit faire preuve d'autonomie et renoncer à être pris en charge du début à la fin de sa carrière. C'est aussi un nouveau rapport moins cloisonné au temps (travail/loisirs) et aux lieux (entreprise/domicile), dont témoigne le succès foudroyant de ces nouveaux objets (téléphone portable, ordinateur portable...) répondant simultanément à des besoins personnels et professionnels.
L'imaginaire de consommation est basé sur la communication et les échanges interpersonnels.
"Si le consommateur du début des années 90 recherchait la rassurance, celui de la fin de la décennie aura besoin de "reliance" : plus il gagnera en capacité d'autonomie et en mobilité, plus il aura besoin d'être en permanence relié aux autres.[2]"

B. L'explosion des marchés des objets nomades

Jacques Attali[3] fut le premier à évoquer l'irrésistible diffusion des objets nomades.

Carte de crédit, walkman, téléphone GSM, ordinateur portable, instruments d'auto-diagnostic médical, DVD portable sont les objets nomades de l'homme de la fin du XXe siècle. Leur influence sur nos modes de vie et de consommation sont considérables.
"Les objets nomades bouleverseront les rapports des hommes à la santé, à l'éducation, à la culture, à la communication ; ils transformeront l'organisation du travail, des transports, des loisirs, de la ville, de la famille. Ils deviendront des moyens de création et de critique, de subversion et d'invention, de démocratie et de révolution[4]."

Par ces objets nomades, l'homme garde le contact avec son lieu d'enracinement et sa "tribu". Il est "partout chez lui".
L'explosion du téléphone portable en France en 1998 est instructive : avec 7 millions d'abonnés, le taux de pénétration est passé de 7,5 % en novembre 1997 à près de 12 % en juillet 1998.
Positionné au départ comme un instrument de travail pratique et efficace, le téléphone mobile devient un "facilitateur de relations sociales et affectives". "Échanger, rester connecté, partager constituent de nouvelles valeurs porteuses[5]".

---

[1] In *Le travail après la crise*, Bob Aubrey, InterÉditions, 1994.
[2] In *Le consommateur entrepreneur*, Robert Rochefort, Éditions Odile Jacob, 1997. *Analyse - œil de Cofinoga* n° 37, février 1998.
[3] et [4] *Lignes d'horizon*, Jacques Attali, *op. cit.* page 7.
[5] *L'œil de Cofinoga*, les nouveaux faits de consommation à la loupe, n° 42, août 98.

Que peut en conclure l'homme de marketing ?
Si l'homme du XXIe siècle est essentiellement nomade, les objets et services qu'il désirera seront nécessairement portables.

La première voie à explorer est bien évidemment la miniaturisation :
Rappelons-nous le succès du premier caméscope de la série TR lancé par Sony à la fin des années 80 : plus cher que les autres caméscopes familiaux, image et son comparables aux produits concurrents... le produit représentait au bout de six mois de commercialisation 30 % des ventes de caméscopes au Japon. La raison du succès ? la taille. C'était le premier caméscope tenant dans la paume de la main.

La deuxième voie porteuse d'avenir est celle qui consiste à rendre la consommation d'une prestation de service indépendante du temps et du lieu.
C'est déjà le cas avec les services bancaires : retirer de l'argent dans un distributeur automatique dans n'importe quel pays du monde, effectuer toutes ses opérations bancaires 24 h sur 24 grâce à Internet (et éventuellement au fax et au téléphone), c'est possible.

La troisième est d'imaginer les produits et services répondant aux motivations d'échange, de partage, de connexion permanente avec sa tribu.

Ces idées sont génériques et l'homme de marketing peut l'appliquer à de multiples secteurs d'activités pour imaginer de nouveaux services : revue de presse personnalisée envoyée directement dans la boîte aux lettres électronique de l'abonné, possibilité de réserver un taxi, une place de cinéma ou de concert par Internet ou grâce à son téléphone portable, création et animation de communautés électroniques partageant des centres d'intérêt communs... La seule limite est celle de l'imagination... et la capacité à convaincre le consommateur de consacrer une part de ses ressources à ses nouveaux services. Mais la ressource la plus rare pour le nomade de ce début du XXIe, c'est le temps... On peut donc parier que les services susceptibles de "faire gagner du temps", sont promis à un bel avenir.

C. L'espace privé envahi par des rapports marchands

Pour répondre au manque de temps du consommateur "nomade", les industriels ont fait preuve d'imagination. Comme le souligne Jacques Attali, "de nouveaux objets industriellement productibles en série sont apparus remplaçant des services par des objets. Tous, de près ou de loin sont liés à deux fonctions : communication et alimentation, qui encombraient l'une et l'autre notablement le temps des consommateurs. À l'encombrement du temps par des services succède ainsi un encombrement de l'espace par des objets*."

Quels sont ces objets ?
- fonction de communication : baladeur, magnétoscope, ordinateur personnel, carte à mémoire, répondeur téléphonique interrogeable à distance, téléphone portable, fax...
- fonction d'alimentation : le congélateur permet le stockage durable de la nourriture, le four à micro-ondes transforme la préparation des repas en objets marchands individuels, préparés d'avance, produits en série et consommables à domicile comme au travail.

* In *Lignes d'horizon*, Jacques Attali, *op. cit.* page 7.

 Un consommateur en position de force

Nous avons décrit dans le chapitre précédent, comment le rapport de force entre le fabricant et le client avait basculé en faveur de ce dernier.
Nous allons maintenant développer les manifestations de cette situation et leur impact sur les stratégies marketing des entreprises.

A. La sensibilité au prix*

La sensibilité au prix est l'un des éléments les plus marquants de l'évolution de l'environnement des entreprises depuis le début des années 90. On est passé en peut de temps d'une recherche du "juste prix" à l'exigence d'un "moindre prix".

Cette sensibilité se manifeste :
- au niveau des industriels : les entreprises exigent de leurs fournisseurs qu'ils baissent leurs prix.
  On se souvient d'Ignacio Lopez, le patron des achats de Volkswagen, qui fin 1993 avait donné 48 heures à Saint Gobain pour réduire de 15 % le prix de ses vitrages.

- au niveau des arbitrages individuels de chaque consommateur, qui cherche à regagner du pouvoir d'achat partout.
  Peuvent en témoigner Euro-Disney qui dû bouleverser en catastrophe sa grille tarifaire à l'automne 93, pour augmenter la fréquentation du parc, ou les constructeurs automobiles qui après avoir bénéficié des aides gouvernementales pour doper le marché, après s'être livrés à la bataille des promotions, à des remises exceptionnelles et à des prix cassés se sont enfin décidés à mettre sur le marché des véhicules à des prix perçus comme attractifs pour le client. C'est l'avènement du "value for money" cher aux Américains.

Les causes de la sensibilité au prix

Cette sensibilité au prix est souvent la conséquence de la massification des marchés.

L'exemple du whisky est significatif : c'est un produit que tous les ménages doivent désormais avoir chez eux. Il touche donc maintenant des consommateurs moins impliqués dans l'achat de ce type de produits.
Conséquence logique : le n° 1 de la vente de whisky en hypermarchés n'est pas J & B ou Ballantines, mais William Peel, un whisky lancé par la firme bordelaise William Pitters. Positionné à un prix très agressif, il maximise les rotations pour le bonheur des grands distributeurs.

La sensibilité au prix est également liée à l'existence de nombreux acheteurs matures. C'est le cas de l'automobile, de la micro-informatique, de nombreux biens d'équipement ménager (magnétoscopes, téléviseurs...) : les acheteurs qui ont déjà une ou plusieurs expériences d'achat et d'utilisation de ces produits, sont capables de s'informer auprès des nombreuses sources d'informations disponibles ; ils sont en capacité de mesurer les rapports prix/qualité/service et de maximiser l'utilité de chaque franc dépensé.

---

* In *Quel avenir pour les marques*, Jean-Noël Kapferer in *L'Art du Management*, op. cit. page 27.

Le cas des technologies grand-public

Le marché des PC qui semblait avoir atteint une rythme de croisière a connu depuis la fin 1997, une soudaine et forte accélération. En France, les ventes sont passées de 450 000 unités en 1996 à 750 000 en 1997, en raison de l'arrivée de PC de marques asiatiques vendus moins de 5 000 francs en grandes surfaces.

Comment analyser ce phénomène ?
La diffusion de nouvelles technologies grand-public se fait d'abord par le prix (on observe le même phénomène dans le cas de la téléphonie mobile).

Le développement des marques distributeurs

Le développement spectaculaire des marques distributeurs est également un signe de cette sensibilité accrue au prix.
Sur certains marchés, leur taux de pénétration oscille entre 10 % (Portugal, Espagne...) et 30 % (Grande-Bretagne).
Dans l'épicerie, les MDD représentent 18 % du marché aux États-Unis et 15 % en Europe.

Leur apparition a parfois élargi la variance de prix dans un facteur de 1 à 3. La sur-valeur que le client acceptait de payer est devenu inacceptable quand ce rapport a augmenté, notamment pour les produits peu impliquants.

Vers une accalmie sur le front des prix bas et des promotions ?

Les réactions des entreprises tant sur le domaine des prix que sur la relance de l'innovation permettent de poser l'hypothèse que la focalisation excessive du consommateur sur les prix commence à s'essoufler.
Quels sont les signes de cet essoufflement ?
- "l'attitude consistant à se focaliser exclusivement sur les prix est depuis deux ans en régression alors qu'elle connaissait une croissance régulière depuis une dizaine d'années,
- profiter systématiquement des soldes et des promotions est en baisse depuis deux ans, une chute de près de 10 points,
- les consommateurs sont de plus en plus murs : 6 Français sur 10 se disent "mieux apprécier leurs besoins pour mieux sélectionner leurs achats.*"

B. Des marques remises en cause

Le signe de la fin d'une époque : le Marlboro Friday

Au cours des années 90, le consommateur a fortement remis en cause les marques.
Tout se passait poutant pour le mieux dans les années 80 : Les financiers et les comptables avaient pris conscience de la valeur des marques : entre 80 et 85, des entreprises dont l'actif net était peu reluisant ont été achetées à prix d'or.
Les acheteurs étaient prêts à payer la sur-valeur, c'est-à-dire la valeur des actifs immatériels, dont la marque notoire.
Les comptables ayant autorisé le non-amortissement de la partie de la sur-valeur affectée aux marques, des entreprises ont été encouragées à gonfler le plus possible cette ligne du

* In *Le Grand Œil*. Cofinoga.

bılan après consolidation. Jusqu'en 1990, pour valoriser des marques notoires, on a utilisé des multiples pouvant aller de 25 à 30 fois les résultats.

Le coup de frein date d'avril 1993, le jour du Marlboro Friday. Ce jour-là, le groupe Philip Morris baisse de 19 % le prix d'une des ses marques les plus connues : Marlboro, pour lutter contre les nouveaux entrants (des petites marques à bas prix) qui lui grignotent des parts de marché.
La sanction de Wall Street est immédiate : les titres de toutes les entreprises de biens de grande consommation reculent significativement "les marques ne semblent plus être ce capital de l'entreprise découvert si récemment". Pour Wall Street, les bonnes marques sont surévaluées.

Les grandes marques dans la tourmente

Les exemples de la remise en cause des marques sont nombreux :

Coca-Cola voit en mars 1994 les ventes du Cola du distributeur anglais Sainsbury dépasser, en volume, dans ses magasins, celles du géant américain. Comble d'ironie, le Cola de Sainsbury (fourni par le canadien Cott's) surpasse en tests aveugles celui de Coca-Cola.

Autre marque star, Nike[1] connaît aujourd'hui de graves difficultés. Accrochée a son positionnement haut de gamme (75 $ en moyenne la paire, contre 60 $ chez Adidas et Reebok), la marque a d'autant plus de mal à justifier cet écart de prix que le "plus" de Nike, la technologie Air (semelles amortissantes) s'est banalisée. Outre la remise en cause de la sur-tarification du produit, les causes du recul s'expliquent également par une évolution des goûts des consommateurs : banalisée par son succès, la marque a perdu de son aura auprès des adolescents. "Personne n'a envie de porter les mêmes chaussures que son père".

Les signes de l'affaiblissement des marques se rencontrent sur la plupart des marchés ; De nombreux leaders ont vu leur part de marché diminuer : Danone sur le marché du yaourt, Sony sur le marché de la vidéo et la TV grand-public, Pampers, autrefois seul sur le marché avec son avantage concurrentiel, a dû lutter contre des copies (les "me-too products" ; moins chers).

Parallèlement à cet affaiblissement des marques de fabricant, les marques distributeurs et les produits "premiers prix" gagnent des parts de marché.

Les raisons de la désaffection des consommateurs :

L'évolution du consommateur : il est devenu plus mature, plus perspicace, plus exigeant. "Il attend d'une marque autre chose qu'une simple valeur d'usage : la justification d'un prix plus élevé par un service spécifique qui la rend exclusive et perçue comme telle[2]".

Les comportements des fabricants : certains, fascinés par leur avance technologique, se sont endormis sur leurs lauriers. Ils ont gardé des prix élevés, alors que leur différencia-

---

[1] in Capital. Nike, le champion s'essouffle. n° 82, juillet 88, pages 32-36.

[2] in *Le nouveau sens de la marque*, R. Degon, Harvard l'Expansion, hiver 1993.

tion s'estompait progressivement (Apple, Sony...), et n'ont entrepris que très tardivement réflexion et action sur leurs coûts de production et de distribution. Des produits peu différenciés, une image de marque écornée, une rentabilité laminée par des coûts trop élevés.

Une mauvaise gestion des marques : valoriser une marque nécessite d'investir beaucoup et longtemps. Or de nombreuses entreprises ont diminué leurs investissements dans la marque : "Une gestion des marques à la calculette[1]"

Aveuglé par la réussite passée, les managers ont péché par excés de confiance et se sont réfugiés dans le statu quo.

Enfin la versatilité des consommateurs explique le déclin rapide de certaines marques (Nike par exemple) au profit de nouvelles marques (New Balance, Vans, Timberland, Rockport, Dr Martens, ou Caterpillar) qui en quelques mois deviennent de nouvelles idoles. On notera également le come-back spectaculaire de marques données comme moribondes : IBM, Adidas ou Apple.

La marque est en effet confrontée au défi du temps :

"Pour devenir un repère de la qualité, la marque a besoin de temps"[2]. Mais, le temps, c'est le changement permanent. Les marques stars du moment sont confrontées :

- à l'entrée régulière de nouveaux acteurs sur les marchés, qui imposent leurs règles. C'est le cas de DELL sur le marché informatique avec la vente par correspondance et le concept de "fabrication à la demande" ou des distributeurs avec le lancement de marques distributeurs ;
- à l'apparition de nouvelles technologies bouleversant les habitudes et les statu quo : le lancement de la vidéo grand-public a sonné le glas du cinéma à développement instantané de Polaroïd, et redistribué les cartes entre les fabricants de caméras Super 8 sonores souvent européens (Bauer, Beaulieu...) et les industriels nippons de l'électronique grand-public (les marques JVC, Panasonic, Sony...) ;
- à l'émergence de nouveaux styles de vie qui accompagne de nouvelles marques, de "nouvelles idoles".

Les dangers de la perte de crédibilité des marques

Pour une entreprise, l'érosion de la valeur de sa marque peut conduire à terme à sa disparition.

"La marque est source de valeur pour qui la possède et l'exploite. Elle facilite le référencement dans la grande distribution, condition sine qua non du succès commercial des biens durables ou de grande consommation. Elle obtient l'appui des revendeurs sur les marchés industriels. Elle crée une prédisposition à l'achat pour les consommateurs. Et même si elle coûte cher – il faut la "nourrir" de publicité et de R&D pour assurer sa croissance – elle apporte un surplus d'acheteurs, elle autorise des prix plus élevés (la prime de marque) et permet de réaliser des marges substantielles du fait des économies d'échelles qu'elle suscite.[3]"

---

[1] propos d'un manager d'une multinationale alimentaire, rapporté par Kamran Kashani in Marques : faire mieux et moins cher in L'Art du Management, op. cit. page 27.

[2] In Quel avenir pour les marques. Jean-Noël Kapferer in L'Art du Management, op. cit. page 27.

[3] In *Le capital marque en question*, Emmanuelle Delfour, Connaissance et Action, Publication du Groupe ESC Bordeaux, n° 1, mai 1996. Pages 5 à 8.

Toujours visionnaire, Jacques Attali va même plus loin :
"L'actif le plus important d'une entreprise avec ses brevets et les personnels qui la composent ; la condition et la justification de sa pérennité. A terme, les entreprises de biens de consommation auront pour principale fonction de gérer une marque, de la faire vivre, de lui donner plus de valeur, abandonnant la production proprement dite à des assembleurs sous-traitants.*"

Nous étudierons dans la troisième partie "Outils du marketing", les voies de la reconquête.

C. Un consommateur citoyen

Les manifestations concrètes de l'émergence d'une conscience citoyenne chez le consommateur se multiplient.

Certains entreprises décident d'utiliser cette tendance à leur profit.

Les Centres Leclerc surfent sur la vague écologique en proposant à leurs clients d'acheter 1 franc, un sac en plastique plus grand et réutilisable. Le sac peut être échangé gratuitement autant de fois que nécessaire. C'est la fin de la pollution par les sacs en plastique jetables qui envahissaient les caddies.

Boulanger invite implicitement le consommateur à lutter contre le chômage en achetant des produits "partenaires", fabriqués sur le sol français par les grands de l'électroménager. Cette société a lancé un programme de formation à l'informatique (sur 5 jours) en collaboration avec la mairie de Marseille pour faciliter l'insertion des chômeurs.

La Fnac lutte contre l'illettrisme en organisant des rencontres entre des jeunes ayant des difficultés d'écriture et des animateurs de l'association Droit de Cité.

Leclerc a mené une véritable opération d'éducation civique en faisant frapper 1,5 millions de pièces de 1,5 euro dans le cadre de l'opération "Demain l'Euro" lancée avec le soutien de la commission de Bruxelles. Dans le même esprit d'éducation des consommateurs, le distributeur propose depuis la fin 1997 un "Guide du Tout", publication gratuite qui rassemble "tout ce qu'il faut savoir pour bien acheter."

Loin d'utiliser ce nouveau courant, certaines entreprises se retrouvent en quelques semaines sur le banc des accusés.
Ainsi Nike fut-elle l'une des premières firmes a être victime d'une nouvelle forme de boycott : le boycott social. De nombreuses associations se sont mobilisées pour dénoncer les conditions sociales désastreuses dans lesquelles sont produits de nombreux articles : production par des enfants, des adultes brutalisés, sous-payés voire mutilés par des machines dangereuses. Ce phénomène du "socialement correct" a traversé l'Atlantique et des enseignes comme La Redoute, Decathlon, Disney, Ikea, Nike, C & A, Kookaï et le Conseil National du Commerce ont été la cible de différentes actions : marche d'enfants, pétitions, cartes postales... initiées par le collectif "de l'éthique sur l'étiquette", regroupant des associations et des syndicats : Comité Catholique contre la faim, CFDT, Ligue des droits de l'Homme...).

---

* In Dictionnaire du XXIe siècle. Jacques Attali. Fayard, 1998.

Si Nike a mal réagi ("c'est pas nous, ce sont nos sous-traitants"), d'autres acteurs économiques ont mieux mesuré le risque et commencent à prendre des mesures qui vont dans le bon sens : plus de 1 000 visites surprises d'inspecteurs expérimentés dans les usines des sous-traitants. Avec à la clef, la sanction d'un éventuelle coupure du robinet des achats. Coût : 3 millions de $.
Commentaire du Directeur de la Communication, John Green[1] : "c'est le prix qu'ils sont prêts à payer pour préserver la bonne réputation de la marque."

Difficilement imaginable pendant les années 80, furent également les réactions de la population française pendant la longue grève de fin 1995 : on vit se développer le co-voiturage, l'auto-stop spontané et une (relative) compréhension des motivations des grévistes.

IV Le distributeur au centre du jeu

A. Les fondements théoriques des bas prix[2] dans la distribution

Les principes du commerce moderne date du XIXe siècle avec la formule du grand magasin. Le lecteur curieux peut se (re) plonger avec curiosité dans le "Au Bonheur des Dames" de Zola.
Si le commerce traditionnel privilégie le niveau de marge commerciale en pourcentage du chiffre d'affaires, la grande distribution préfère le critère des actifs fixes et circulants (produit de la rotation des actifs par le résultat).
Comme le souligne Marc Dupuis[3], "en privilégiant le taux de rotation des actifs sur les marges relatives, le commerçant moderne développe un avantage concurrentiel par le prix grâce à un accroissement des volumes traités par unité d'espace de vente".

B. Un double phénomène de concentration

Le nouvel environnement est caractérisé par une intensification de la concurrence. Sur les marchés en phase de maturité, on trouve peu de producteurs... et peu de distributeurs. Les phénomènes de concentration ont joué à fond tant au niveau des producteurs que des distributeurs.

C. Le développement des marques distributeurs (ou MDD)

L'analyse par les chaînes de valeur[4] permet d'analyser les coûts des différents intervenants d'une filière afin de déceler les coûts inutiles (ceux qui ne contribuent pas à augmenter la valeur perçue par le consommateur) et les doubles emplois.

---

[1] Menace de boycott sur le made in Asia. In L'Essentiel du Management, n° 40, juin 1998, pages 33-35
[2] et [3] In Distribution, le défi mondial des bas prix, Marc Dupuis in Décisions Marketing (pages 69-77) op. cit. page 30.
[4] In *L'avantage concurrentiel des nations*, Michaël Porter, InterÉditions, 1994.

Appliquée aux MDD (marques de distributeurs), cette analyse met en évidence les points suivants :
- la marque distributeur réduit les coûts de marketing (suppression des coûts de communication par exemple),
- l'économie réalisée est partagée entre le consommateur (sous forme de réduction du prix de vente) et le fabricant (amélioration de sa marge commerciale).

Les distributeurs sont des concurrents pour les producteurs.
La poussée des marques distributeurs, bien qu'inégale selon les pays, s'observe partout. En France, l'une des conséquences attendue de la loi Galland est clairement un développement accéléré de leurs propres marques par les grands distributeurs, soucieux de mettre en avant des produits ayant une forte rentabilité au mètre carré. Or la rentabilité du linéaire (marge brute au mètre linéaire) est de 103 pour les marques d'industriels et 123 pour les marques distributeurs.

Conséquence : l'accès au linéaire est accordé en priorité au leader (souvent une grande compagnie ayant une notoriété et une stratégie mondiale), à la marque distributeur et à une marque premier prix. Les autres acteurs (de plus petite taille ou n'ayant qu'une stratégie nationale) risquent d'être victimes d'un "marketing de l'exclusion[1]", qui les privent d'accès au consommateur dans certains circuits de distribution.

D. Les stratégies des distributeurs

La montée du pouvoir des distributeurs se manifeste par la mise en œuvre de trois types de stratégie pour contrôler la filière dans le domaine des "Produits Magasins orientés à Bas Prix".

– Une stratégie orientée prioritairement sur la compétition par les prix au détail.
"Être le moins cher dans tous les points de vente du réseau". C'est la stratégie suivie pendant des années par les Centres Leclerc[2]. La rotation est privilégiée par rapport à la marge en valeur relative.

– La compétition par les coûts
L'objectif est de réduire les coûts au maximum, pour faire bénéficier le consommateur des gains de productivité réalisés. Le distributeur s'intéresse à tous les éléments de la chaîne de création de la valeur, notamment la logistique et les achats. C'est la stratégie de Wal Mart aux États-Unis.

– La stratégie de domination du canal
L'enjeu est de dominer des points clés de la filière, de la fabrication à la distribution. L'objet est de développer un concept de vente unique. Souvent l'entreprise recherchera à la fois une domination par les coûts et une différenciation de son offre. C'est le cas de Benetton, d'Ikea, de Decathlon...

---

[1] In *Quel avenir pour les marques*, Jean-Noël Kapferer in L'Art du Management, op. cit. page 27.
[2] Limitation de la marge commerciale des adhérents autour de 14 % du chiffre d'affaires, mise en place d'un système de surveillance des prix pratiqués par la concurrence dans la zone de chalandise.

Quelles sont les implications pour les acteurs de la filière ?

Du côté des distributeurs, la probabilité est forte de voir apparaître de nouveaux concepts combinant bas prix et nouveaux services : ainsi Auchan et Carrefour commercialisent des micro-ordinateurs à 3 990 F et proposent des services de type installation, paramétrage et mise en service de l'ordinateur pour moins de 300 francs au domicile du client.

Du côté des fabricants, les stratégies de reconquête des marques ne sont envisageables qu'à condition d'accroître significativement les investissements d'innovation et de différenciation. Ces points seront développés dans la troisième partie de l'ouvrage.

E. La segmentation du marché basée sur les prix*

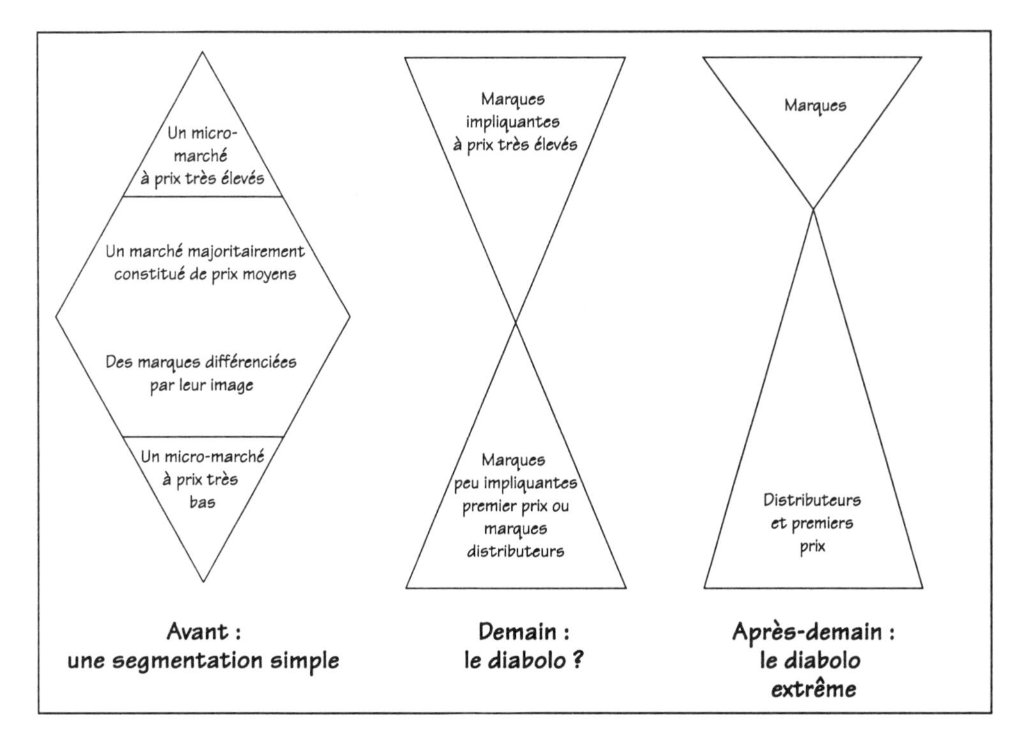

L'évolution du "losange au diabolo" met en évidence l'absence d'avenir des marques peu différenciées en terme d'image, la part de marché grandissante des premiers prix et surtout des marques distributeurs, dont le rapport qualité/prix est jugé pertinent par un nombre croissant de consommateurs.

* Questions de prix, Christian Dossurt, in *Décisions Marketing*, n° 6. Septembre-Décembre 1995 (pages 23-32).

COMPRENDRE

Nous allons lister les principales limites de l'approche marketing classique, compte tenu des évolutions de l'environnement.

I Les limites des études de marché

L'approche marketing classique est traditionnellement basée sur des études de marché, des tests auprès de consommateurs potentiels, voire des marchés-tests.

Mais l'équation de base du marketing – étudier le marché, en préciser les besoins, en déduire un produit et vendre ce produit – est simpliste et... souvent fausse.

Certes les études qualitatives peuvent permettre de confirmer ou d'infirmer les idées que les responsables de l'entreprise se font du marché, et donc d'éviter de graves et coûteuses erreurs. Il est vrai également que des études quantitatives peuvent se révéler fort éclairantes.
On se souvient du lancement de Canal Plus. L'hypothèse de lancement était que cette chaîne deviendrait la chaîne des cadres supérieurs avides de films de qualité, et prêts à payer 1 800 francs par an pour cela. De fait, quelques années après son lancement, Canal Plus était la chaîne des employés et des ouvriers attirés par les films et le sport, et n'ayant pas envie de se déplacer le soir pour aller assister à un spectacle. C'était donc une chaîne pour les consommateurs lourds de télévision, que l'on trouve moins chez les cadres supérieurs que chez les employés.

On reproche souvent aux études (ou à l'usage qui en est fait par certains responsables marketing) :
- d'étouffer la curiosité d'esprit :
  le patron d'une entreprise vendant des soft-drink pour les jeunes apprendra davantage en allant dans une salle de cinéma voir les films culte des jeunes, en assistant à une rave-party (ou à la Techno Parade) qu'en feuilletant une énième étude sur l'attitude des jeunes face au sucre et au bulles.
- de ne permettre que des améliorations de produits ou de concepts existants :
  on remarquera en effet que tous les produits importants de ces 25 dernières années n'ont pas été — et ne pouvaient pas être – décrits concrètement par des consommateurs dans une étude de marché.
  La carte de crédit, la planche à voile, le walkman, le Renault Espace, le Macintosh d'Apple sont des produits très innovants, fruit de l'intuition et du saut créatif d'un ou plusieurs individus.

Si le consommateur connaît ses besoins, il ne peut pas toujours indiquer le moyen de les satisfaire. Essayer de faire définir les produits de l'entreprise par le seul consommateur revient à étouffer l'innovation.

Les marchés-test très en vogue pour les produits de grande consommation sont peu pertinents sur les marchés de haute-technologie.
Sur ces marchés en effet, l'un des facteurs clés de réussite est la rapidité de la mise en mar-

ché. Prendre trois mois pour tester le produit (et éventuellement les autres variables du mix sur un marché) peut faire perdre cet avantage. Comment procèdent les acteurs de ce secteur ?
Ils lancent sur le marché une première version du produit... et six à douze mois après, en fonction des réactions des clients, lancent une deuxième version, qui pendant quelques mois sera positionnée (en terme de prix) au dessus de la première version, pour ensuite la remplacer. Dans certains cas de figure, le client pourra "mettre à jour" ou "upgrader" le produit acheté. Cette pratique est courante dans l'industrie informatique, tant au niveau du matériel que du logiciel.

II Le développement des activités de service

Les méthodes et outils pour analyser les marchés, pour étudier les attentes et les besoins des consommateurs ont pour la plupart été créés dans l'univers des produits.
Or nous vivons de plus en plus dans un monde de services.

Qu'il s'agisse de services aux organisations (travail temporaire, conseils, restauration...), ou de services aux individus (santé, formation, éducation, restauration, divertissement...), elles présentent un certain nombre de spécificités :
- leur caractère intangible
- la simultanéité de leur production et de leur consommation
- l'hétérogénéité des prestations
- l'importance du personnel en contact
- la participation active du client dans la "production" du service.

Concrètement, cela signifie pour le responsable marketing :

- des difficultés pour étudier le marché...
  Il est plus difficile de tester la pertinence du concept d'un service, que le caractère désirable d'un produit, qui peut être concrètement présenté à la personne interrogée sous forme de prototype ou de photographie.

- des difficultés pour communiquer avec le marché

Le caractère intangible du service rend difficile sa représentation dans la communication. Comment un restaurant de qualité peut-il exprimer sa spécificité ? Doit-il ou non présenter des photographies ? Si oui doit-il mettre en avant des plats préparés, ses locaux, ou son chef cuisinier ? Le même problème se pose par exemple pour un organisme de formation, une entreprise de travail temporaire, ou un organisme financier.

- La nécessité de mettre en place des baromètres de mesure de satisfaction des clients.

La mesure de la qualité est d'autant plus importante dans les activités de service que le client est à la fois acteur et juge de la qualité du service.
En effet, contrairement à ce qui se passe dans la production de biens matériels (le client n'intervient pas au quotidien dans le fonctionnement de l'usine), le client participe activement dans la "production" du service. Ainsi, il fournit de l'information au Distributeur Automatique de Billets (code secret, somme demandée...) et à son expert-comptable ou conseiller en communication... La qualité de la prestation de service sera liée à "la bonne tenue de son rôle" par le client.

Les baromètres de satisfaction devront permettre de mesurer l'adéquation entre la qualité attendue par le client et la qualité perçue, d'apprécier le bon fonctionnement de l'interface entre l'entreprise et le client : interactions entre les clients, le personnel en contact et les supports physiques (locaux, interfaces des machines automatiques, efficacité et convivialité du personnel en contact...).

 L'émergence d'une place de marché virtuelle

L'automobile, le réfrigérateur et la caisse enregistreuse sont les trois technologies qui ont permis l'émergence de nouveaux acteurs : les grandes surfaces.
L'Internet et ses déclinaisons Intranet/Extranet sont en train de remodeler l'économie américaine. Ces technologies ont l'immense avantage de baisser les coûts, et notamment les coûts de transaction.

La révolution numérique et l'Internet permettent aujourd'hui aux entreprises de faire du business en ligne. C'est le développement du e-business (electronic business).

Ce développement peut se faire dans quatre champs décrits dans la matrice ci-dessous. Des exemples sont donnés à titre d'illustration.

	Produits	**Services**
Vente au grand-public	Ventes de Compact Disc, de livres, de pizza, d'automobiles, ordinateurs...	Vente de services informationnels (articles de journaux, résultats de recherche dans une encyclopédie, revue de presse personnalisée), ou services traditionnels (voyage, services bancaires, assurances...)
Business to business	Mobilier et matériel de bureau... Matériel informatique...	Services financiers, services informationnels personnalisés...

Le marché des services interactifs grand public d'informations et de loisirs devrait croître dans les dix ans à venir plus vite que le commerce électronique.

L'apparition de cette place de marché virtuelle rend obsolète certains outils destinés à mieux connaître les consommateurs et permet la naissance de nouvelles approches.

Parmi les outils surannés : l'étude de marché traditionnelle est souvent réduite pour des raisons de coût et de temps à une zone géographique limitée (ville, région, pays). La place de marché virtuelle peut être locale (vente de pizzas, services de petites annonces régionales, services d'information locaux...), mais elle est le plus souvent mondiale. Amazon, premier libraire sur Internet, est implanté aux Etats-Unis, mais ses clients viennent du monde entier. E-trade et E-Schwab permettent à tout citoyen de la planète de passer des ordres, via

Internet, sur le NASDAQ, court-circuitant ainsi les intermédiaires traditionnels du monde physique (banques, courtiers...) et dans des conditions financières et de confort très avantageuses.

De nouvelles approches permettent à l'entreprise de rester en contact étroit avec le marché et les consommateurs.

La richesse et la constante réactualisation des informations accessibles par l'Internet conduit à une nouvelle démarche : l'étude approfondie en quasi temps réel d'une information plus ou moins structurée. Le tableau ci-dessous a été construit à partir de l'observation de la pratique de recherche d'information sur l'Internet d'une PME girondine*.

Objet de la recherche	Services Internet utilisés par l'entreprise "Immersion"					
	Messagerie électronique	Moteurs de recherche	Serveur Web	Forums (news-groups)	Listes de diffusion (mailing list)	FTP (Télechargement de fichiers
Identifier de nouveaux produits				■	■	
Rechercher de nouveaux fournisseurs		■				
Surveiller la stratégie des concurrents		■	■			
Construire et mettre à jour l'argumentaire produit			■			■
Aider le support technique à répondre aux clients	■			■	■	
Obtenir des contacts qualifiés	■		■			
Obtenir des documentations produits actualisées des fournisseurs			■			
Transmettre des offres commerciales au client	■					

À la lecture de ce tableau, on constate que les services génériques offerts par Internet trouvent une application pratique dans :
– la recherche de nouveaux produits/services,
– le renforcement des échanges avec les clients ou les prospects,
– l'observation de la concurrence.

La veille technologique comme la veille concurrentielle deviennent accessibles même à une TPE (Très Petite Entreprise).

D'autres pistes peuvent être explorées, comme le soulignent Olivier Andrieu et Denis Lafont dans leur ouvrage "Internet et l'entreprise" (Eyrolles, 1995) :
– "utiliser les moteurs de recherche pour accéder à la littérature grise" :
il s'agit des rapports de recherche produits par les chercheurs qui n'ont pas été publiés faute de place ou pour des questions de délai dans les revues spécialisées. Ces documents sont de plus en plus fréquemment accessibles – gratuitement – par le Net.
– "faire ses revues de presse à l'échelle mondiale"
Le monde de la presse est en phase d'expérimentation par rapport au Net. Il est possible de trouver en ligne des serveurs de nombreux titres connus ou moins connus.

* Adaptation d'un article de Dominique Billon - la veille sur Internet - publié sur le CD-ROM Stratèges produit par le Groupe ESC Bordeaux et diffusé par Hachette Livre.

Selon les cas, on accédera à la copie fidèle de la version papier, à une version réduite, ou enrichie de rubriques interactives (via la messagerie électronique ou les forums).
L'accès aux archives est également souvent proposé. Il s'appuie sur un moteur de bases de données. L'accès pourra être gratuit ou payant.
Parmi les sites en accès libre, intéressants pour la veille dans les domaines technologiques : le supplément multimédia de Libération, Le Monde Informatique, les sites du groupe de presse Ziff-Davis (PC Week, MacWeek, PC Expert...)

– "surveiller les offres d'emplois des concurrents, des fournisseurs, des clients"
L'examen attentif des offres d'emplois proposées dans les forums et sur les serveurs Web est un indicateur précieux des voies de développement des acteurs de votre micro-environnement.

Sont également accessibles, dans le domaine de la veille économique, de nombreuses informations produites notamment par les institutions gouvernementales des grands pays industrialisés. Une approche purement géographique est d'ailleurs possible en utilisant habilement les moteurs de recherche.

On peut également imaginer des applications beaucoup plus pointues, en lançant des études de marché en ligne. Le principe est simple : l'internaute est invité à remplir un questionnaire présenté sous la forme d'un formulaire électronique à compléter. Les informations recueillies alimentent directement une base de données. La mise en œuvre est plus hasardeuse : il en effet nécessaire de faire connaître l'existence de cette enquête, de donner envie à l'internaute d'y répondre sincèrement et enfin de veiller à la cohérence de l'échantillonnage en fonction de l'objectif de l'étude.

Toujours dans le domaine des études de marché, l'interrogation d'experts peut parfois pallier l'insuffisance des sources d'information secondaires utilisées.

Comment s'entretenir avec des experts sur le Net ?
– en identifiant leur adresse E-Mail
  Comment ?
  – en lisant les revues spécialisées,
  – en se connectant sur les sites Web de groupes spécialisés (en marketing, finances ou par secteurs d'activité...).
  Exemple : le site de l'American Marketing Association : http://www.ama.org/
– en identifiant les groupes de réflexion pertinents et les forums et listes de diffusion correspondants
  Exemple : la liste des chercheurs francophones en Marketing promue par l'AFM (Association Française du Marketing) : AFMnet@univ-pau.fr

Le dialogue avec les experts peut se dérouler soit de manière privative par échange de messages électroniques, soit de manière publique au travers de contributions dans des forums ou des listes de diffusion.

Toujours dans le cadre d'une étude de marché, le recours à la technique du focus-group (réunion-discussion) est également possible. La richesse de l'information obtenue est alors liée à la qualité de l'animateur et à l'implication des personnes dans le débat.

Le service Internet utilisé est alors celui du Newsgroup ou groupe de discussion.

La faible diffusion de l'Internet dans les entreprises et au sein du grand-public limite cependant fortement son utilisation dans les démarches d'études sur des secteurs situés hors du champ des réseaux et des technologies de l'information.*

Les limites actuelles de la veille sur Internet

• La première limite significative concerne *la fiabilité de l'information.*

Si une entreprise récupère sur le site Web de son fournisseur la fiche technique d'un nouveau produit, elle obtiendra une information structurée, compilée et présentant les mêmes garanties de fiabilité que la fiche produit papier correspondante. Avec un peu de chance, l'information sera même peut-être plus à jour.
Mais si l'information est recueillie dans un forum de discussion ou une liste de diffusion ou encore sur le site d'une organisation peu connue, le lecteur ne dispose d'aucune garantie sur le sérieux de la source et sur la fiabilité de l'information.
Les articles qui paraissent dans une revue scientifique sont lus et approuvés par un Comité de Lecture, qui effectue un contrôle a priori, sécurisant pour le lecteur.
Les informations publiées sur le Net le sont souvent sous la seule responsabilité de leur rédacteur, rédacteur qui n'est d'ailleurs pas toujours parfaitement identifié.
Le seul contrôle envisageable est un contrôle a posteriori qui peut s'opérer par les réactions des internautes contestant le sérieux de l'information par courrier électronique ou dans les forums de discussion.

• La deuxième limite concerne *la difficulté d'accès à l'information.*

On a fréquemment comparé la situation de l'internaute recherchant désespérément une information précise sur le Net à celle du quidam, déposé au cœur de la forêt amazonienne sans carte ni boussole.
Cette difficulté d'orientation crée un marché pour les entreprises capables de proposer des outils d'orientation... ou des contenus plus ciblés par rapport aux attentes de telle ou telle entreprise.

Dans la première catégorie, les acteurs les plus connus sont les moteurs de recherche comme Yahoo, Alta Vista, Excite, Lycos, Infoseek, Nomade, Ecila...

Dans la deuxième catégorie, on trouve des services en ligne plutôt "grand-public" comme AOL (America On Line), Compuserve ou Microsoft Network et des services en ligne ciblant les professionnels comme, par exemple, Qwam.

Qwam se positionne comme le "premier service en ligne français d'intelligence économique et de veille technologique et concurrentielle".

Sa vocation est de "permettre aux professionnels – dirigeants de P.M.E, cadres décideurs, consultants spécialisés, responsables de la veille stratégique ou concurrentielle... d'accéder

* Pour plus de détails, voir Études : Internet, un outil d'interrogation in *Marketing Magazine*. n° 21 – mai 1997.

de manière simple et compétitive aux bases de données documentaires en ligne non disponibles gratuitement sur Internet".

Son offre est basée sur un unique serveur, une unique interface et une unique facture. Le service centralise l'accès à environ 300 bases de données, notamment grâce à des accords avec les grands brokers d'informations comme Dialog, Datastar ou Questel/Orbit qui proposent les bases de données sur les brevets, les marques, l'information scientifique et financière, l'information marketing et la presse.

La tarification est basée sur un abonnement (de l'ordre de 4 500 francs/an = 690 euros) et une facturation à l'acte, indépendante du temps consacré à la recherche et la possibilité de connaître à l'avance le coût des documents souhaités. Par exemple, 57 francs (8,7 euros) pour un brevet sur European Patents, 32 francs (4,9 euros) pour une marque sur Trademarkscan.

• Le troisième frein concerne *le coût d'une veille sur le Net.*

Quels sont les éléments constitutifs du coût ?

– L'investissement en matériel :
  le prix d'un micro-ordinateur et d'un modem utilisable pour surfer sur le Net et de l'ordre de 10 000 F HT (1 500 euros environ).
– L'investissement en logiciel :
  il est possible d'accéder à tous les services du Net à partir de logiciels gratuits ou en shareware.
– L'investissement en formation :
  la manipulation d'un navigateur comme Microsoft Explorer ou Netscape Navigator est plus simple que celle de Word. La formation la plus utile est celle qui est centrée sur la découverte et la maîtrise des outils de recherche. Durée : une journée.
– Le temps humain investi :
  c'est le poste budgétairement le plus lourd. Il peut être habilement diminué en faisant appel à des stagiaires de l'enseignement supérieur, managés par un cadre ou le dirigeant de l'entreprise.
– Les coûts d'accès à l'Internet et les coûts de communication :
  ils sont de l'ordre de 100 F (environ 15 euros) par mois (temps de connexion illimité) pour l'accès Internet et proportionnels au temps de connexion sur la base d'une tarification locale pour les coûts de communication (moins de 13 F – 2 euros – par heure en tarif rouge)
– Le coût d'achat (éventuel) de l'information :
  la majorité des informations disponibles sur le Net sont accessibles gratuitement.
– Les coûts de traitement et de diffusion de l'information :
  ils s'appuient généralement sur des infrastructures matérielles existantes, et consomment une part difficilement mesurable des personnels concernés.

La réflexion ci-dessus est plutôt menée dans l'optique d'une PME.

Des simulations, réalisées par Philippe Oberson, sur différentes situations d'entreprises tendent à démontrer que "la part de l'investissement dans la veille proprement Internet paraît raisonnablement se situer entre 0,02 % et 0,2 % du chiffres d'affaires de l'entreprise".

Le poste de coût le plus important est celui du temps humain.

 La redistribution des cartes

La révolution de l'Internet porte les germes d'une redistribution des cartes.

- **au niveau de la position concurrentielle des pays :**
  La mondialisation profite aux "producteurs de symboles". Qu'ils s'appellent Microsoft, Disney, Virgin, America On Line... ils sont pour la plupart anglo-saxons... et leur production est demandée par le monde entier, et notamment par les pays les plus pauvres. L'écart va d'autant plus se creuser qu'il existe une différence fondamentale entre les producteurs d'"objets physiques" et les producteurs d'"idées". Les idées n'ont pas besoin d'être produites en autant de fois qu'il y a d'utilisateurs : une voiture ne peut servir qu'à son propriétaire ou à ses proches. Un logiciel ou un cours de formation disponibles sur Internet, un film accessible à la demande sur le câble ou le satellite peuvent être "utilisés" simultanément par des milliers, voire des millions de consommateurs. La structure de coût très favorable tant au niveau de la production (nécessité de ne produire qu'un "original"), que de la distribution (coût de distribution marginal) et le caractère séduisant pour le consommateur de la quasi-instantanéité d'accès au service laissent entrevoir un formidable développement des services réunissant éducation, divertissement et information.

- **au niveau du poids des acteurs dans la chaîne de distribution :**
  Les distributeurs font aujourd'hui écran entre les producteurs et les consommateurs. L'Internet peut permettre de restaurer des liens directs tant au niveau de la communication que de la vente.

Ce thème sera développé dans la troisième partie du livre.

 Les limites de la planification

La planification a connu ses heures de gloire. Au niveau de certains Etats (la France gaulliste et "l'ardente obligation du plan" ou l'URSS et ses célèbres plans quinquennaux), et au niveau des entreprises dans les années 70, avec la planification stratégique.
Mais la complexité et l'instabilité de l'environnement d'une part, l'impact révolutionnaire des nouvelles technologies d'autre part ne donnent plus le temps de regarder ou de planifier au-delà de l'horizon. Les managers doivent penser et agir en temps réel.

La comparaison du Japon et des États-Unis est à cet égard instructive :

Contrairement au discours ambiant de la fin des années 80, les succès les plus remarquables n'appartiennent pas en cette fin de siècle aux entreprises nippones, mais aux firmes américaines : Microsoft, CNN, AOL, Compaq, Hewlett-Packard, les firmes de fast-food... dont le mode de fonctionnement bénéficie de qualités typiques de la culture américaine :

Adaptabilité, amour de la vitesse, focalisation sur les considérations à court terme, pragmatisme...
Les différences d'approche de la qualité entre Japonais et Américains ne sont pas neutres. Les Japonais culturellement très perfectionnistes sont handicapés dans les industries où le délai de mise en marché est critique ; ils retardent l'introduction d'un produit par amour des procédures exhaustives d'assurance qualité et de nombreux tests. Les Américains sont, eux, des adeptes du "Good enough quality", c'est-à-dire qu'ils visent le niveau de qualité acceptable par le consommateur... d'où des délais de mise en marché beaucoup plus courts.

À l'aube de l'an 2000, les signes d'un management sain sont la capacité à changer rapidement, à réagir vite et à proposer des réponses compétitives.
Il est vain, d'essayer de prédire l'évolution du marché, de la concurrence, de la demande ou du comportement des consommateurs. Il est vital d'imaginer et d'utiliser des outils qui permettent à l'entreprise d'être présente, vigilante, prête à créer et saisir des opportunités sur un marché en gestation.

Comme le souligne Alvin Toffler, "Après l'ère de l'économie fondée sur la force, après l'ère de l'économie fondée sur l'argent, voici l'ère de l'économie fondée sur la maîtrise de l'information."*

 Un manque de souplesse des variables du mix

Face à l'abondance des offres concurrentes, le consommateur est devenu plus mature et plus exigeant. La réponse traditionnelle des entreprises par la segmentation de marché ne suffit plus. Le consommateur exige aujourd'hui une offre personnalisée ; concrètement, pour le responsable marketing, cela signifie la fin d'un certain marketing mix.

Le tableau ci-dessous illustre quelques-uns de ces changements sur le marché grand-public.

	Années 70-80	**Années 90-2000**
Produit	Gammes larges pour répondre aux différents segments de marché	Produit "sur-mesure" – concepts de "différenciation retardée", de "sur-mesure de masse"
Prix	Gamme de prix large – Forte activité promotionnelle	Personnalisation – Yield management
Communication	Médias de masse (TV, radio...), publi-postage... Peu ou pas d'interactivité	Communication personnalisée et interactive (Internet, publicité interactive sur les nouveaux médias : câble, satellite...)
Distribution	Grande distribution alimentaire et spécialisée Le consommateur se déplace pour acheter produits et services	Multiplicité et diversité des canaux Développement de la vente directe Le service ou le produit sont délivrés où et quand le client le désire

* in *Les Nouveaux Pouvoirs* (Powershift), Alvin Toffler, Fayard, 1991.

MAÎTRISER

Le marketing ethnologique

De la simplicité rigide du consommateur, nous sommes passé à la complexité extensive d'un nouveau consommateur flexible, multidimensionnel et au comportement alternatif.

Des segments stables aisément repérables en fonction de la classe sociale, de l'âge ou du lieu géographique, nous sommes passés à l'hyper-segmentation par l'explosion des styles de vie qui se rapproche du tribalisme.

Bien des sociologues caractérisent notre société par la montée croissante de l'individualisme et le phénomène de libération totale de l'individu. Rejet des idéologies dominantes, pluralité des valeurs et de styles ainsi que la fragmentation de la société sont autant de conséquence de l'individualisme.

Pourtant, une résistance sociale émerge face à ce repli sur soi, et les individus cherchent de plus en plus à recréer du lien social, du contact humain et de la proximité affective.

Voici venu le temps du néo-tribalisme et du retour des clans. Les tribus contemporaines, réseaux de personnes qui se regroupent autour d'une sensibilité, de valeurs ou d'intérêts communs, se caractérisent par leur mobilité, leur volatilité, leur appartenance parfois à plusieurs groupes et surtout par l'importance qu'elles accordent au relationnel qui se développe autour du produit.

Mesurer les enjeux de ce tribalisme et adapter l'offre de l'entreprise et sa stratégie aux exigences d'une tribu pour concevoir et vendre un produit, tel est le défi qui nécessitera de nouvelles approches.

Les classements traditionnels en catégories socio-professionnelles ou en groupe d'âge ne suffisent plus pour obtenir des typologies opératoires. En effet, il est nécessaire d'intégrer l'approche comportementale. L'individu devant être pris en compte avec son système de valeurs, ses dispositions et attitudes plus ou moins complexes et plus ou moins prévisibles.

Par exemple, l'envie d'une bière ne sera réellement « comblée » avec satisfaction pour l'individu, que si elle peut s'inscrire dans une certaine esthétique du quotidien : n'importe quelle bière avec ses référents culturels, dans n'importe quel café avec son ambiance ne suffiront pas à étancher sa soif esthétique. Il faut une marque et un lieu « qui s'intègrent dans un de ses projets esthétiques en cours » souvent rattachés à une des tribus "affectuelles" auxquelles il adhère.

Les mobiles profonds qui sous-tendent l'achat et les pratiques de consommation conduisent à de nouvelles méthodes où la dimension qualitative prend toute son importance en espérant que les groupes constitués seront assez homogènes et très différents des autres, tout en étant assez importants pour justifier pour eux seuls une démarche marketing.

Les premières approches des marchés dans cet esprit ont permis de mettre en évidence un marketing ethnique (ou communautaire) et un marketing tribal.

A. Le marketing ethnique

Le marketing ethnique (aussi appelé marketing des minorités ou marketing communautaire) s'adresse à des communautés bien ciblées qui constituent alors des clientèles potentielles. On constate que souvent cette approche ne consiste pas à spécifier ou développer des produits particuliers mais plus à adapter une communication, un langage qui permettra au consommateur à profil minoritaire de mieux s'identifier au produit vendu. Deux précautions sont nécessaires à cette démarche :

– ne pas s'aliéner les consommateurs traditionnels du produit,
– veiller à ce que le marché visé soit de taille suffisante pour être rentable.

Il s'agit alors de communication de marques grand public qui se tournent vers ces communautés. On a ainsi vu apparaître des campagnes visant les gays et les homosexuels (sous-vêtements masculins), les « blacks » d'Afrique et des Antilles, les hispaniques, les juifs ou les musulmans.

C'est souvent l'analyse des « rituels » d'achat par l'observation des comportements au quotidien sur le terrain qui ont permis de mieux comprendre les mutations de ces consommateurs.

Ce fut le cas de la vente de jeans en distribution automatique pour atteindre des populations en général peu attirées par les centres commerciaux ou les boutiques, et aux horaires de déplacement ne correspondant pas aux horaires habituels des points de vente. Ces distributeurs furent installés dans les gares ou sur les plates-formes d'entrée des centres commerciaux.

On peut rattacher à ce type de marketing ce qu'on a appelé le marketing tribal. Il en résulte que notre société apparaît comme un maillage de micro-groupes dans lequel les individus entretiennent une sous-culture commune. Les biens de consommation deviennent alors des objets de culte et des emblèmes d'appartenance (« le tatoo pour rester en contact avec sa tribu »).

Ce qui caractérise ces individus peut être rassemblé en trois dimensions :

1) la défidélisation du consommateur

On a vu apparaître l'émergence d'un consommateur sélectif et versatile au comportement extrêmement volatil et imprévisible et surtout moins fidèle aux marques. Aujourd'hui, la fidélité traditionnelle à une marque n'est plus qu'une forme faible d'engagement et donc éphémère sauf si cette marque est porteuse de sens et de valeurs partagées.

2) un comportement « multifacettes »

On passe d'un consommateur unidimensionnel à un consommateur pluriel pourvu d'une grande flexibilité. Les consommateurs occupent conjointement de nombreux segments souvent disparates, et profitant de la variété qui s'offre à eux, passent volontiers d'une marque à l'autre. Les clients deviennent des migrants qui vont de segment en segment, habités au même moment de préférences multiples : ils sont désormais des hétéro-consommateurs qui transforment les grands segments « monolithiques » en petits segments « perméables ».

3) un comportement d'instantanéité

Ceci met en évidence la progression grandissante du consommateur à privilégier l'immédiateté de ses choix de consommation, accroissant ainsi ses exigences de respect des délais. L'engouement pour un produit peut être fulgurant puis retomber sans explication apparente. Les pratiques actuelles de consommation n'engagent que momentanément l'individu. Legendre constate en retraçant l'histoire de Lee Cooper que la « clientèle est de plus en plus exigeante, plus versatile et [que] les choses vont plus vite... Il faut pouvoir s'adapter en quelques mois, voire quelques semaines... ».

Ces différentes caractéristiques du marché illustrent bien le marché des baskets pour adolescents, la « basketmania » a fait long feu, les ventes sont à la baisse et les prix chutent. Aujourd'hui, il n'y a plus d'originalité à porter des « Nike » admet Jean Leclerc, Responsable marketing France de la marque. « En effet, tout le monde a porté ou porte des chaussures de sport. Dans un premier temps, les jeunes veulent s'assimiler à un groupe ; mais quand l'uniforme est partout, le logo omniprésent, ils ne peuvent plus se distinguer »*, analyse Alex Demtrices, Journaliste du magazine Urba, publication qui analyse les phénomènes de rue.

B. Le marketing de génération

Traditionnellement, le marketing a effectué des segmentations de marché sur les critères d'habitat, revenu, niveau de formation, etc. Ensuite les typologies basées sur les styles de vie ont permis de bonnes approches comportementales. La difficulté était alors de repérer « sur le terrain » des individus définis qualitativement.

C'est la raison pour laquelle les critères « style de vie » sont croisés avec les critères traditionnels qui étaient plus facilement repérables sur le marché. On a abouti à la conclusion que par tranche d'âge, on pouvait identifier des groupes de consommateurs aux comportements assez proches.

C'est ainsi que s'est développé le marketing de génération qui fait apparaître en général quatre grands groupes :
– la génération des jeunes
– la génération des 25-34 ans
– la génération des 35-50 ans
– la génération des seniors

La génération des jeunes

Les jeunes de 11 à 20 ans représentent dans les pays développés un marché de 200 millions de consommateurs. Il est évident que les sociétés multinationales ont vu là une opportunité. De plus, cet ensemble est souvent caractérisé par des attitudes communes, mêmes goûts, mêmes sports, mêmes musiques, mêmes jeux ou habitudes alimentaires.
Ce constat a contribué à développer des stratégies de marques uniformes pour un marché important. Dès l'âge de 11 ans, les jeunes deviennent des « consommateurs » ; selon

* *La Planète Ado* in L'Express le magazine 3/09/98 n° 2461.

l'Institut de l'enfant, 43 % des dépenses familiales sont décidées ou influencées par un jeune de moins de 17 ans. Il est à noter que les limites de ce groupe ne sont pas bien claires, c'est plutôt la notion d'adulte qui change. L'INSEE parle de « jeunes » jusqu'à 30 ans. Cette classe d'âge « plus enfants » mais « pas encore adulte » possède ses codes, ses valeurs, et profite du pouvoir d'achat de ses aînés.

En 1993, le CIC a inventé pour eux le « compte junior », il fut suivi très vite en cela par les autres banques. En effet, ces jeunes, en consommateurs avertis, thésaurisent, investissent, planifient leurs achats.

Pour aborder cette classe d'âge, non seulement les produits s'adaptent, mais la communication elle aussi les prend en considération, « on voit de plus en plus d'enfants manipulateurs (Petit Ecolier, Malabar, Kodak) qui finissent par ridiculiser les adultes ; ce n'est pas un hasard, les enfants connaissent parfaitement les marques, les produits, les prix et... même les parents obéissent à cette jeune expertise ».*

Le monde de la presse s'est aussi adapté à eux avec le Journal des enfants (110 000 exemplaires par semaine), Sciences et Vie Junior (19 000 exemplaires tous les mois) et l'Hebdo Junior (10 000 exemplaires).

La culture ado est aussi présente sur les chaînes de télévision (en particulier Canal J et le J.T. de la chaîne câblée). Il est vrai que leur pouvoir d'achat atteint 500 milliards de francs.

La génération des 25-34 ans

C'est la génération au travail, la plus poussée à consommer (dépenses supérieures à la moyenne des ménages). Elle représente 38 % des actifs en France et 8,6 millions de personnes (dont 86 % d'actifs). C'est dans cette tranche d'âge que l'on trouve le plus de femmes actives (80 % des femmes trentenaires sont actives contre 47 % de la moyenne nationale). Cette génération investit et consomme :

	25-34 ans	Tous ménages
Logements	30 %	27 %
Voiture	16,4 %	14,3 %
Loisirs-Consommation	9 %	8 %

grâce à un pouvoir d'achat supérieur à la moyenne nationale :
(répartition par tranche de revenu mensuel disponible - base 1995)

	25-34 ans	Tous ménages
moins de 6 000 francs	14 %	19 %
de 6 000 à 10 000 francs	26 %	22 %
de 10 000 à 15 000 francs	33 %	25 %
plus de 15 000 francs	24 %	24 %
non déclarés	3 %	10 %

(Source Crédoc)

* *La Planète Ado* in L'Express le magazine *op. cit. page 83.*

Leurs dépenses sont hédonistes (voyages, sorties) mais leur comportement d'achat est raisonné (52 % fréquentent les hard-discounts).

La génération des 35-50 ans

Cette génération veut se caractériser par la raison dans ses achats. En général du fait de l'âge des enfants, le comportement se focalise sur des achats familiaux et de bien-être. Ils sont davantage portés sur les dépenses d'investissement que sur les dépenses de consommation d'apparence. Cette génération se caractérise par des achats respectant des valeurs de retour aux traditions et de respect de la personne, et fut l'un des principaux artisans de la mode du cocooning des dix dernières années. Elle vit plutôt tournée vers sa famille et son intérieur, elle est consommatrice de feuilletons et de jeux télévisés, et lit plutôt des news de société que la presse quotidienne.

La génération des seniors

Cette génération représente 30 % de la population soit 17 millions de personnes, leur nombre doit augmenter de 50 % dans les deux prochaines décennies. L'accroissement de leur nombre n'est pas spécifique à la France, et concerne les pays industrialisés :

Les 60 ans et plus par rapport à l'ensemble de la population (en %)

	1990	2030
Grande Bretagne	22 %	29 %
Italie	21 %	36 %
Allemagne	20 %	35 %
France	19 %	30 %
Japon	18 %	33 %
États-Unis	17 %	28 %

(source : Banque mondiale, BIT)

Leur poids dans la population augmente, il y a de moins en moins d'actifs pour une personne à la retraite :

Nombre d'actifs de 55 à 64 ans pour un retraité

	1990	2030
Japon	6,1 %	3,1 %
États-Unis	4,3 %	3,2 %
Italie	4,9 %	2,7 %
France	4,7 %	2,7 %
Allemagne	4,4 %	2,2 %
Grande-Bretagne	4,3 %	3,2 %

Leur pouvoir d'achat est supérieur à la moyenne nationale de 5 à 7 %, ce qui représente un marché de 1 000 milliards de francs ; de plus, ils possèdent 50 % du patrimoine français. Ils sont nombreux et riches mais ils ne constituent par un segment homogène. À la suite de ses études sur les styles de vie, le CCA* considère qu'ils ne sont pas différents du reste de la population et qu'on y trouve la même diversité. Cependant, quelques traits particuliers peuvent les caractériser :

* Centre de Communication Avancée.

– ils n'achètent pas de marques premier prix
– ils sont consommateurs d'information (presse et TV)
– ils sont plus consuméristes que la moyenne
– ils recherchent l'authenticité et la tradition
– ils demandent un renouveau de l'éthique et de la morale

D'une manière générale, les seniors sont des consommateurs avertis, exigeants qui acceptent de payer plus cher pour la qualité et des services supplémentaires.

Le marketing polysensoriel

Cinquante ans de consommation ont transformé les attentes et les exigences des clients, autrefois dociles et demandeurs, ils sont aujourd'hui éduqués au processus de consommation. Ils ont appris à choisir et savent ce qu'ils veulent. Si la simple vue d'un produit ou d'une publicité leur suffisait jusqu'à présent, ils attendent aujourd'hui des preuves et surtout du plaisir de ce qu'ils achètent : tous leurs sens sont désormais en éveil.

Pour les convaincre, le produit doit s'adresser aux cinq sens de façon cohérente et pertinente : à travers les sens, les consommateurs cherchent à retrouver le sens. Jouer sur l'image, le look, le design, le toucher des produits sont des pratiques devenues courantes.

Aujourd'hui, le marketing axe une partie de ses interventions autour de la perception des sens, via les couleurs, l'odorat et les sons. Le marketing des sens permet la mise en avant d'un avantage concurrentiel et d'une différenciation des produits par une plus grande proximité physique et sensorielle avec le client.

A. Les couleurs qui font vendre

Une étude récente* a montré qu'à la vue d'un packaging, l'ordre de mémorisation des éléments constitutifs de la communication obéit à une hiérarchie bien précise : les couleurs puis les formes, ensuite les mots et leur signification et enfin les chiffres.

La couleur influence directement nos perceptions, elle constitue un élément important de différenciation sur des marchés où tous les produits atteignent un bon niveau de qualité et de technologie. Des associations d'idées se font en fonction des couleurs, par exemple, dans une tasse brune le café sera fort, dans une tasse rouge, il sera riche et corsé ; dans une tasse bleue, il sera doux, etc.

De même avec un yaourt dans un pot blanc, celui-ci sera perçu comme doux et frais, plus sucré dans un pot rouge et acide dans un pot noir.

Gérard Caron, fondateur de l'agence de design internationale Carré Noir, a mis en évidence ces différents aspects, tant sur le plan national que sur le plan international. Il a développé une conception originale de sa discipline grâce à ses recherches sur la symbolique universelle des couleurs et la mémorisation des signes.

* Design Carré noir in *Le journal des professionnels* n° 4.

Il n'est cependant pas possible de faire n'importe quoi en s'écartant des codes couleurs en vigueur dans chaque pays. Par exemple, les pays nordiques ont comme couleur fétiche le turquoise, les Allemands le ton prune et les forts contrastes clair-foncé ; les Anglais, le pourpre et les Français, le camaïeu.

D'une manière générale, la couleur préférée des pays occidentaux est le bleu puis le vert. Le rouge est la couleur préférée des Japonais pour 40 % d'entre eux, mais n'attire que 10 % des consommateurs européens. De même, les produits laitiers sont associés au blanc ou aux couleurs claires, la viande fraîche au rouge ou au vert primaire. Il est évident que tous les produits ne sont pas sensibles de la même manière à la couleur.

Ainsi, plus la durée de vie du produit est courte, plus on peut oser des teintes flash (primaires en 94, acidulées en 96) dont l'œil se lasse vite. Les tons naturels apparus dans les années 90, font figure de nouveau classique en se colorant légèrement et en intégrant des effets nacrés, irisés, mouchetés...

En 1996, les ocres et les tons pastel lumière du jour sont recommandés. La tendance hight-tech (verre et métal) s'adoucit avec du bois et trois nouvelles tendances sont apparues récemment : les couleurs années 50 (anis, orangeade), les teintes récup, brocantes (fanées, patinées, vieux rouge...) et les couleurs acidulées.

La rotation des couleurs s'accélère ou se ralentit selon leur poids symbolique et culturel. Il est néanmoins possible de classer les couleurs en quatre grands types de cycles :

- **Les couleurs archétypes :** elles sont issues de la nature et ont un caractère universel. Leur signification symbolique est forte et passe facilement d'une civilisation à l'autre.
- **Les couleurs culturelles :** elles sont le plus souvent associées au pouvoir et varient d'une culture à l'autre. C'est, par exemple, le violet sacerdotal en France ou le violet noble au Japon.
- **Les couleurs sociologiques :** elles correspondent à des courants de société bien précis. C'est l'orange « mystique » des années 70 ou le vert écologique des années 80/90.
- **Les couleurs de la mode :** elles concernent une variation sur l'ensemble des couleurs, selon les humeurs du moment ou des créatifs en vogue. Les tons pastels et neutres tiennent actuellement la vedette.

B. Les odeurs qui déclenchent l'achat

Comme les couleurs, les odeurs participent à notre perception d'un produit et influencent donc notre comportement d'achat. Les entreprises essayent donc de communiquer avec la dimension olfactive dans le but de déclencher une envie et donc l'achat. Louis Le Duff l'avait bien compris lors de la mise en place de la Brioche Dorée : il avait équipé chaque magasin d'un extracteur d'air donnant sur la rue afin que l'odeur de petits pains et de brioches interpelle les passants.

Des tests réalisés au Japon dans les laboratoires d'un grand de la cosmétique, ont montré que l'inhalation d'une odeur de citron avait pour effet de stimuler l'activité d'attention et d'anticipation chez l'être humain. À l'inverse, l'odeur de la rose serait de nature à supprimer ces mêmes effets. Une fragrance telle que la senteur de pomme verte-cannelle, produirait un relâchement premier degré de relaxation.

En ce domaine, il est convenu que les effets sont différents d'un être et d'une culture à l'autre, par le conditionnement et l'association odeur-mémoire. Odoriser les emballages, les abords et intérieurs de magasins ou de rayons et linéaires, les voitures, l'essence, les billets d'avion, les vêtements, le papier, les mailings, les catalogues ou les sacs poubelles permet au produit de communiquer à distance et d'éveiller la conscience perceptive.

La synthèse et l'encapsulage des molécules sont soit intégrées directement au produit ou libérés sous formes de stikes à gratter, d'effleurage ou de décollage. La Maison du Café avait muni ses emballages de pastilles de façon à ce que le consommateur fasse le test de l'odeur du produit avant l'achat. En marketing, la signature olfactive peut donc devenir un second logo.

C. Les sons qui signent les produits

Après les couleurs et les odeurs, il était naturel que les hommes du marketing se penchent sur la signature sonore de leur produit.

Le son du produit est depuis longtemps un des meilleurs indicateurs de qualité « inconscient » pour le consommateur. Les chercheurs en psycho-acoustique étudient les effets du son sur l'individu, les sensations agréables ou désagréables qui en résultent.

Ces travaux encore jeunes et plein d'avenir, fournissent aux industriels des critères de gêne, d'agrément, de tolérance, de plaisir ou d'utilité à consommer leur produit. L'ensemble des études convergent à dire que la maîtrise microsonique des produits grand public, est un bon outil de différenciation. La signature sonore est même pour certains produits le signe distinctif de sa qualité : les sons mâts, secs, courts, plutôt graves du claquement des portières traduisent le luxe et le confort ; le bruit fort et sec d'un couteau Laguiole traduit son bon réglage ; les petits déclics du coffre-fort ; le clic de fermeture sourd, mat, direct des étuis et des poudriers s'apparente immédiatement à du haut de gamme.

C'est aussi, le « tchaak » des tartines qui sautent du grille-pain, le « ploup-pschitt » à l'ouverture des canettes de bière ou de soda. C'est encore le croquant bref, fort et grave de la pomme ou de la carotte, la croustillance des biscottes ou le craquant de certains biscuits. Alors que la mémoire auditive est par nature assez faible, les fabricants continuent à se battre pour 2 à 3 décibels, car le souci du silence ou du bruit typique est synonyme de qualité. En matière d'automobile, la problématique est grande car il n'y a pas d'arithmétique du bruit. Dès qu'un bruit est éliminé, un autre surgit. Ainsi, pour un véhicule électrique au moteur silencieux, le bruit dominant du roulement des pneus et du sifflement de l'air sur les rétroviseurs deviennent en eux-mêmes assourdissants. À l'inverse, trop de silence peut s'avérer dangereux en réduisant la vigilance.

Si le son est souvent une composante du produit, il peut aussi participer à l'acte d'achat, un trou dans l'emballage permet à l'enfant d'actionner la sirène du jouet qu'il est en train de choisir. Dans ce cas, le son peut être un critère discriminant dans la comparaison.

III Le marketing direct

A. Que veut-on faire ?

Marketing direct = marketing d'action

Le Marketing direct est une technique d'action commerciale qui privilégie la relation directe, individuelle et le plus souvent personnelle entre le producteur ou distributeur d'un bien ou d'un service et le consommateur intermédiaire ou final. Mais, lorsque l'on s'adresse directement, individuellement à une personne, la première attitude que l'on attend d'elle, c'est qu'elle nous réponde immédiatement.

Le marketing direct est avant tout un marketing de réponse, donc d'action.

Trois conséquences découlent cependant de cette constatation :

– Pour qu'il y ait une réponse, il faut une offre.
– Plus l'offre constituera un engagement faible, plus le taux de réponse sera fort et inversement.
– Si l'on veut obtenir des réponses positives, il faut tout mettre en œuvre pour qu'elles soient les plus nombreuses possible. Le marketing direct est un marketing de performance.

Trois catégories d'offres :

Une bonne offre, c'est une proposition simple, claire, précise et motivante.

Les offres peuvent se classer en trois catégories, qui correspondent chacune à un objectif poursuivi par l'annonceur. Ce sont les grands domaines d'intervention du marketing direct.

– Il y a les offres faites pour informer
– Il y a les offres faites pour vendre
– Il y a les offres faites pour fidéliser

La notion de performance :

En marketing direct, la performance s'apprécie de trois façons ; en résultat brut, en termes de comportement, et surtout, en coût d'acquisition d'un contact ou d'un client.

– Le résultat brut, c'est le simple comptage des réponses à une opération de marketing direct, c'est intéressant mais ce qui l'est beaucoup plus, c'est la courbe des résultats jour après jour, elle permet des comparaisons précises d'une opération à l'autre et même des prévisions en cours d'action. J'ai 10 jours de réponse et j'ai 300 réponses : j'aurai probablement 600 réponses au total (du fait des rendements journaliers décroissants).

– Le comportement ne s'analyse pas dans l'instant mais sur plusieurs exercices.

– Le coût d'acquisition d'un contact ou d'un client, c'est là que réside la spécificité du marketing direct qui sanctionne très précisément l'effort promotionnel en permettant d'en mesurer très simplement l'efficacité.

Pour expédier un mailing, on investit environ 1 F (0,15 euro) de timbre, et environ le double ou le triple pour créer, fabriquer et router le message. Au total disons 4 F (0,61 euro) par message, parfois plus, parfois moins. C'est un ordre de grandeur, qui n'a ici qu'une valeur d'exemple.

À chaque fois que l'on poste 100 messages, il en coûtera donc 400 F (61 euros). Si sur 100 messages expédiés on gagne un client : ce client aura coûté 400 F.

Si ce n'est plus 1, mais 2 clients, chaque client coûtera 200 F (30 euros).

Cette mathématique élémentaire doit être conservée, car pourquoi se contenter d'un seul client quant on peut en obtenir 2 ?

Les tests :

Le marketing direct est une technique de construction progressive, en permanence perfectible, d'où l'utilisation très courante des tests qui permettent de choisir la meilleure formule après vérification, de minimiser les risques et d'optimiser au maximum les résultats.

Quatre conseils :

1. Ne réservez pas le marketing direct aux cas désespérés.

2. Si vous choisissez le marketing direct, faites-vous un devoir de réaliser une publicité directe de qualité pour ne pas développer la publiphobie.

3. Ne soyez pas publiphobe vous-même : conservez les messages que vous recevez, lisez-les et cherchez à découvrir la partie cachée de l'iceberg.

4. N'hésitez pas à faire appel aux spécialistes, c'est votre meilleure garantie de réussite.

B. Avec qui veut-on communiquer ?

Identification du prospect-type :

Pour savoir avec qui on veut communiquer, il faut identifier et cerner d'une façon aussi précise que possible le prospect-type, car c'est avec lui que nous voulons communiquer, à lui que nous voulons vendre.

Pour cela, quatre phases :

1) L'analyse
2) La recherche
3) Le collationnement
4) L'estimation

1) L'analyse : de l'extérieur vers l'intérieur

L'analyse consiste à brosser le portrait du prospect-type en partant des critères les plus généraux pour aller vers les particularités. Ce portrait doit être établi en fonction de ce que l'on veut vendre, plutôt que dans l'absolu sans référence à un produit. Il est préférable de dresser un profil de comportement plutôt que de statut. (Quelques critères : sexe, situation de famille, habitat, style de vie, loisirs, âge, pouvoir d'achat, etc.).

2) La recherche – les listes d'adresses et les supports presse

La phase de la recherche est celle de l'établissement des différentes catégories de listes/fichiers ou de supports qui collent le mieux au portrait du prospect-type.

– les fichiers (de comportement ou compilés) :

Choisir de préférence les fichiers de comportement plus précis et sélectifs que les fichiers de compilation.
Les grandes catégories de fichiers de comportement sont : les fichiers d'acheteurs VPC, les fichiers d'abonnés à des magasins, les fichiers d'adhérents et les fichiers de contacts.

– Les supports presse :

Le support presse doit révéler des goûts, des centres d'intérêt, voire des opinions, proches de celles du prospect-type. Il faut aussi que le support presse ait une diffusion suffisante et une pénétration concordante.

Une fiche d'identité pour chaque support : créer pour chaque support ou liste d'adresses une fiche d'identité que l'on mettra à jour régulièrement et qui servira de banque de données.

3) Le collationnement

Il s'agit d'établir une liste précise de fichiers et de supports presse correspondant aux définitions de la cible.
Comment se procurer une liste de fichiers ? En conservant les annonces avec coupon réponse, les messages de mailing, la documentation des loueurs d'adresses, la liste des adhérents du Syndicat de la VPC, etc.

Pour les supports presse et les listes d'abonnés à des revues : la meilleure solution est d'utiliser le Tarif Média.

Pour la presse, utiliser la même liste que les fichiers d'abonnés en y ajoutant des supports moins ciblés et surtout disponibles en kiosque.

Lorsque le long travail de collationnement sera terminé, reprendre la liste des fichiers et des supports et la diviser en trois catégories :

- les fichiers et les supports presse correspondant bien au profil du prospect-type, c'est le cœur de la cible.
- les fichiers et les supports situés à la périphérie de la cible.
- les fichiers et les supports situés dans la zone environnant la cible.

4) L'estimation

En utilisant les informations des fiches, en prenant contact avec les propriétaires des différents fichiers et supports, on obtient soit une quantité d'adresses soit un niveau de diffusion.

On saura ainsi pour les fichiers s'ils sont disponibles en location, en échange ou en asile colis. On connaîtra aussi les prix de cession pour les fichiers, d'insertion pour la presse ou d'asile colis.

En fonction de tous ces éléments, on peut établir le potentiel d'adresses pour les fichiers et le potentiel contact pour les supports presse et chaque fois les replacer dans les trois catégories citées précédemment.

Le potentiel client

Ensuite, si la documentation est suffisante, par exemple l'expérience de prospections antérieures pour le même produit, ou pour un produit relativement semblable, on peut établir un potentiel client en appliquant au potentiel adresse et contact les taux prévisionnels de remontée de commandes.
Enfin, sur la base du coût d'un message ou d'une insertion on peut estimer : le coût de recrutement d'un client, le coût d'acquisition de 100 F (15 euros) de chiffre d'affaires ou le chiffre d'affaires pour 1 000 messages expédiés.

À la question "Avec qui veut-on communiquer ?"
La réponse est ARCE : A comme analyse, R comme recherche, C comme collationnement, E comme estimation.

C. Par quels moyens ou quels médias ?

Les médias du marketing direct doivent permettre une relation bidirectionnelle et si possible, individuelle, personnalisée. Ils doivent aussi permettre une approche intégrée avec :
– présentation du produit,
– argumentaire de vente,
– conditions d'achat,
– et bon de commande...
en un seul message.

On peut, en fonction de ces critères, faire un tri rapide des médias, par exemple, en trois catégories :
– les médias éliminés ou presque,
– les médias qu'on peut à la rigueur utiliser,
– les médias privilégiés.

Les médias éliminés : l'affiche, le cinéma, la publicité mobile, le sponsoring.

Les médias qu'on peut utiliser à la rigueur : la radio associée au téléphone.

Les médias privilégiés (dans l'ordre) :
– le mailing, qui permet une relation bidirectionnelle, individuelle et personnalisée et une approche intégrée,

– la presse, qui permet une relation bidirectionnelle presque individuelle et une approche intégrée,
– le téléphone, grâce à sa puissance de persuasion et le côté hyperpersonnalisé de la relation,
– la TV, qui compense l'absence d'évocation de l'image. Ce média devrait être parmi les premiers, mais c'est malheureusement actuellement un média peu accessible au marketing direct en France,
– le porte à porte, qui répond à tous les critères mais qui de par sa lourdeur s'apparente plus à une technique de vente qu'à un média.

Lorsqu'on établit un plan d'action, il ne faut négliger aucun média, car selon le produit que l'on veut vendre, tel ou tel média pourra se révéler mieux adapté que les autres.

Analyse des trois premiers médias :

– le mailing,
– la presse,
– le téléphone,

en les confrontant à une liste de 25 mots et en faisant apparaître les points forts et les points faibles de chacun d'entre eux.

La liste des mots :

Accès	Informatique	Relance
Complexité	Interactivité	Rémanence
Contrôle	Message	Retours postaux
Coût	Mise en œuvre	Routage
Délai	Personnalisation	Sélection
Dispersion	Potentiel	Survente
Duplication	Poste	Tests
Expédition	Précision	
Fichier	Prime	

Les points faibles et les points forts de ces médias :

• Le mailing : les points faibles

L'accès : il faudra contacter les propriétaires de fichiers, négocier l'utilisation, définir les conditions techniques et financières de cette utilisation avant de pouvoir mettre la main sur la première adresse. En règle général, l'accès n'est pas facile.

La complexité : il suffit de décompter les différentes étapes d'un mailing pour se persuader de sa complexité, il y en a 6 :
– conception du message,
– recherche des fichiers,
– négociation des fichiers
– déduplication,
– impression des lettres (ou étiquettes),
– routage.

Le délai : il sera long, c'est la conséquence de la complexité. Comptez de 2 à 4 mois en tout.

La duplication : des trois médias retenus, le mailing est le seul qui comporte le risque d'une duplication du message. Évidemment, on y a remédié en confrontant les fichiers utilisés entre eux avant le mailing, c'est la déduplication.
Mais, il en subsiste toujours un certain pourcentage.

L'interactivité : c'est-à-dire principalement le dialogue, n'existe pas en mailing.

La mise en œuvre : tout comme l'accès, elle est complexe et comporte des risques de glissement dans les plannings.

La poste : malgré un service de bon niveau en général, elle ne garantit pas toujours les meilleurs délais. Mais, c'est aussi quel que soit le moment où on l'utilise, un point de passage obligatoire pour le marketing direct.

La rémanence du message nous paraît faible. Une fois l'enveloppe ouverte, on peut considérer que le message sera vite oublié s'il n'y a pas eu de commande.

Les retours postaux : c'est une plaie, c'est frustrant, mais impossible d'y couper.

• Le mailing : les points forts

Le contrôle : de A à Z, de la première à la dernière étape on peut tout suivre, tout contrôler dans un mailing.

Le coût : il est difficile de trancher sur ce sujet mais compte tenu des volumes très importants de clients qu'on peut recruter par mailing, le coût d'acquisition d'un client est très compétitif.

La dispersion : pas ou peu de dispersion en mailing grâce aux possibilités de sélection de l'informatique.

L'expédition : on peut moduler comme on veut l'expédition des messages, dans le temps en échelonnant des départs et dans l'espace en expédiant région par région, c'est un avantage certain.

Les fichiers : pas de mailing sans fichiers, et bien qu'on ne cesse de répéter ici et là qu'on en manque, considérons le fichier et ses énormes possibilités de sélection, de mémorisation, de personnalisation comme un point fort.

L'informatique : sans elle, le marketing direct ne serait pas ce qu'il est aujourd'hui. Plus qu'un outil, c'est un des moteurs de notre activité.

Le message est totalement intégré, il est puissant et constant.

La personnalisation : c'est le nec plus ultra en mailing : avec les imprimantes à laser, tout (ou presque) est permis.

Le potentiel : le potentiel adresses est dans la plupart des cas très largement suffisant.

La précision : elle est grande en mailing puisqu'on peut extraire des fichiers seulement les adresses que l'on souhaite, à condition évidemment que le fichier contienne les critères de choix requis.

La prime : on pourra mieux la présenter, mieux la mettre en valeur, mieux l'utiliser que dans tout autre média.

La relance : puisqu'on a le fichier et l'informatique, on pourra relancer, si on le veut, ceux qui n'ont pas commandé.
Le routage : point de passage obligatoire du mailing, il permet l'insertion de multiples éléments dans l'enveloppe, il permet de moduler les expéditions, il fait partie du dispositif de contrôle.

La survente : un message de mailing peut être survendeur car il peut donner l'image d'un produit meilleur que ce qu'il n'est en réalité. Mais, on pourra s'en rendre compte dès la réalisation et remédier au défaut. En définitive, le risque d'être survendeur en mailing est assez faible.

Les tests : évidemment, on peut tout tester en mailing.

• La presse : les points faibles
(en ne traitant que les points applicables à la presse)

Le contrôle : en dehors de la date de parution, on ne contrôle pas grand chose en presse, ni les annonces concurrentes, ni la rédaction, ni la position de l'annonce, ou difficilement.

La dispersion : évidemment, on ne peut pas sélectionner les lecteurs, tout au plus peut-on faire des sélections géographiques dans les magazines ayant des éditions régionales et dans la PQR.

L'interactivité, c'est-à-dire le dialogue, est impossible en presse.

Le message, compte tenu de la place limitée, ne pourra totalement être intégré.

La précision n'est pas très bonne sauf dans le cas de la presse-créneau ou les magazines traitant de sujets précis.

La prime : il sera difficile compte tenu de la limitation de la surface, de "vendre" une prime aussi bien qu'en mailing.

La relance : pas de possibilité de relancer ceux qui n'ont pas commandé.

La sélection est pratiquement impossible en presse.

La survente : compte tenu de la place limitée d'une page de magazine, on peut en schématisant être plus facilement survendeur.

Les tests : il est difficile de tester car une annonce concernera toute la diffusion d'un magazine, sauf pour les éditions régionales.

• La presse : les points forts

L'accès : il suffit d'ouvrir le Tarif Média pour obtenir les chiffres de diffusion et les prix de la page de publicité. On ne saurait imaginer un accès plus facile.

La complexité :
– concevoir une annonce,
– faire le plan média,
– passer les ordres...

Sans sous-estimer la masse de travail que représentent les deux premiers points, la tâche reste moins complexe qu'un mailing.

Le coût : la presse peut être très chère si le nombre de réponses est trop faible mais elle tient souvent bien le "coup" devant le mailing.

Le délai : c'est un média simple à utiliser, les délais sont courts.

La duplication : elle existe évidemment si votre annonce paraît dans plusieurs magazines achetés par le même lecteur. Mais on peut davantage la considérer comme une relance que comme une duplication.

La mise en œuvre est assez facile du fait de la simplicité.

Le potentiel : il est énorme.

La rémanence : à chaque fois que le lecteur reprendra le magazine en main, il pourra revoir votre annonce. Par ailleurs, les gens conservent les magazines qu'ils achètent, pendant quelques temps.

• Le téléphone : les points faibles

L'accès : ce n'est pas aussi facile qu'on l'imagine. Il faut trouver des listes, choisir une société de phoning, négocier les prix, mettre au point les argumentaires.

Le contrôle : on contrôle beaucoup de choses mais le message peut être modifié par les téléphonistes. Il n'est pas constant.

Le coût : il est assez élevé. C'est pour cela que ce média est utilisé pour des produits assez coûteux. Mais n'oubliez pas que le critère absolu reste le coût de recrutement d'un client.

Les fichiers : on les utilise presque comme en mailing mais le numéro de téléphone est rarement dans les fichiers.

Le potentiel est limité par le nombre d'appels que peut faire une téléphoniste dans une journée et pour la plage d'heures réduite pendant laquelle on peut contacter les gens.

La prime : du fait de l'absence de l'image, il est difficile d'utiliser la prime de manière optimale.

La rémanence : n'est pas excellente, car dès le téléphone raccroché, le prospect oubliera le message s'il n'a pas commandé.

La survente : la télémessagère pourra, en modifiant le message, s'emballer dans son action de persuasion et devenir survendeuse.

Les tests : difficiles à mettre en place et à interpréter.

• Le téléphone : les points forts

La complexité : il n'est pas aussi complexe que le mailing.

Le délai : on peut mettre sur pied et réaliser une opération de phoning dans des délais raisonnables.

La dispersion : les adresses sont choisies presque une à une, la dispersion est très faible.

La duplication : pratiquement aucun risque de téléphoner deux fois à la même personne.

L'informatique : c'est un excellent outil dans ce domaine, aussi bien pour guider les téléphonistes dans leur argumentaire, que pour prendre les commandes.

L'interactivité est totale, c'est ce qui fait du téléphone un moyen aussi puissant.

Le message varie d'un appel à l'autre. Il s'adapte donc au cas du prospect.

La mise en œuvre est assez facile.

La personnalisation est excellente.

Les Télécom : le réseau français de télécommunications est excellent.

La précision : garantie par le contact téléphonique.

La relance, autant de fois qu'on veut et toujours très personnalisée.

La sélection est possible comme pour les mailings.

D. Comment le dire ?

Le concepteur-rédacteur : un technicien de la vente

Le marketing direct est un marketing d'action, de performance. Pour faire agir un prospect, lui vendre une idée, un produit, c'est tout un art, toute une technique.

C'est très exactement le rôle du concepteur-rédacteur qui doit être avant tout un technicien de la vente, au même titre que l'attaché commercial. Tous deux ont en effet pour mission de vendre. Souvent, en marketing direct, le seul contact commercial réel, tangible qu'aura le prospect avec votre société se fera par l'intermédiaire du concepteur-rédacteur, on attend de lui non seulement qu'il sache écrire mais surtout qu'il sache vendre.

Les critères de succès d'une bonne conception-rédaction :

• Une relation personnelle forte :

Toute création qui va dans le sens d'une relation personnelle et individuelle forte est un facteur de succès.

• Mailing = lettre

Voilà pourquoi on doit toujours trouver une lettre dans un bon mailing. Car la lettre personnalise le mailing. C'est un phénomène solidement ancré dans nos traditions culturelles qui veut que sous une enveloppe, il y ait toujours une lettre.

• Le mot le plus important :

Mais s'il faut une lettre à votre courrier publicitaire, cela ne suffit pas pour établir une relation personnelle forte. La communication directe est celle qui s'adresse à une seule personne à la fois, on peut donc affirmer que le mot le plus important de ce type de publicité est le mot *vous*, employé comme si l'on écrivait à un ami.

Trop de lettres publicitaires commencent par nous...

C'est donc là que l'expérience, l'imagination et le professionnalisme du concepteur-rédacteur vont se révéler particulièrement efficaces. Pourtant, le résultat ne devra rien au hasard mais sera le fruit d'un raisonnement rigoureux, fondé le plus souvent sur une bonne interprétation de la psychologie de l'achat et de la vente.

• Maximiser les satisfactions potentielles :

Bien vendre, c'est maximiser les satisfactions potentielles. Nous achetons moins le produit lui-même que les plaisirs que procurent sa possession et son utilisation.

Dans tous les secteurs, la formule "Dis-moi ce que tu consommes, je te dirai qui tu es" est valable.

C'est en apportant la bonne réponse à cette devinette que le concepteur-rédacteur va réussir à dresser le portrait-robot de son prospect-type.

La promesse qui fera réagir le prospect :

Dans la pratique, tout bon concepteur-rédacteur sait qu'il doit très rapidement déterminer quelle est la promesse essentielle qui fera agir son prospect positivement. Car si un ton chaleureux est indispensable, il faut aussi que le contenu du message soit motivant. Or, le plus souvent, la promesse est d'autant plus forte et pertinente qu'elle résume bien la satisfaction principale que recherche le prospect ciblé.

Et puisqu'il sait que les acheteurs d'un même produit ont en commun la recherche des mêmes satisfactions, il lui suffit de comprendre les attentes de l'un deux, pour comprendre celles de tous les autres et ainsi parler à chacun sur le ton de la confidence et de l'intimité.

Il y a donc une double démarche :

1 - Bien identifier son prospect, pour bien savoir à qui on s'adresse,
2 - Bien s'imprégner du produit que l'on doit promouvoir pour bien connaître ce dont on va parler.

Vérification = STAR

Comment vérifier si les messages proposés possèdent les qualités requises, en utilisant une série de contrôles regroupés sous l'appellation de STAR :

S - comme Séduire
T - comme Tenter
A - comme Argumenter
R - comme Récapituler

Séduire : un bon message est d'abord séduisant : une offre séduisante, un aspect graphique séduisant, une promesse séduisante.

Tenter : c'est l'art de rendre possible et facile le passage à l'action. Certains mots et concepts favorisent la tentation :
– Nouveau
– Gratuit
– Exclusif
– En cadeau
– Invitation
– Avant-première
– N'envoyez pas d'argent
– Satisfait ou remboursé
– Sans engagement
– Économisez
– Gagnez
– Garantie

Argumenter : il s'agit moins de présenter le produit que de vanter les satisfactions qui résultent de son utilisation.

Récapituler : cela veut dire résumer pour votre prospect les temps forts de la communication :
– votre offre et ses accessoires
– ce qu'il doit faire pour en profiter
– en quoi cela l'engage-t-il d'accepter.

Ces éléments sont à répéter en bonne place dans les diverses parties qui composent votre message :
– en fin de lettre ou dans le post scriptum,
– sur le coupon-réponse, bien sûr*,
– sur le dépliant notamment.

 La relation one to one

(par Gilles Domartini - Market Development - Manager - PACKARD BELL NEC)

L'émergence de nouvelles technologies a permis le renforcement d'une technique marketing : le marketing individualisé, ou marketing one to one.

Comme nous l'avons vu dans le premier chapitre, l'ère de la société de consommation, et ses habitudes de grande consommation débutent dans les années 60. Le marketing de masse est roi. Inutile de cibler le client, la demande reste plus forte que l'offre. Au fil des années, le consommateur s'est éduqué, il a appris à ne plus simplement assouvir son besoin primaire de consommation, il a aussi appris à satisfaire son ego par une consommation qui le valorise, typique des années 80 et de la mode GTI.

Une fois le besoin de consommation et d'ego satisfaits, la crise en 1989 puis la guerre du Golfe ont montré que l'important était d'acheter utile et donc d'apporter plus de rationnel à son achat.

Or, le marketing de masse répond plus à des attentes primaires (manger, boire, sécurité, ego) et donc ne permet pas de répondre aux spécificités culturelles, sociales ou techniques de chaque individu. Il a donc fallu commencer à cibler les attentes de chacun des prospects.

Les nouvelles technologies, par leur puissance de calcul et d'analyse, leur capacité de stockage de l'information, et la diversification des sources d'information (enquêtes, base de donnée clients) permettent aujourd'hui de découper une population d'individus selon une multitude de critères et d'adapter l'offre produit (ou du moins le message de l'offre) aux critères spécifiques de chaque individu. Ainsi, le consommateur n'adapte plus ses goûts en fonction du produit acheté, c'est le produit qui s'adapte à ses goûts.

Parmi les premières entreprises à s'intéresser au marketing one-to-one, figurent les sociétés de vente par catalogues (les 3 Suisses...) dont le fichier client constitue le fond de commerce, et les sociétés de micro-informatique.

Certaines sociétés micro-informatique, associant la gestion des clients en direct et la maximisation du contenu des bases de données ont d'ailleurs connu un succès fulgurant. Dell, par exemple, créé en 1986, est aujourd'hui une société qui pèse plus de 70 Mds de francs (10,68 Mds d'euros) de chiffre d'affaires. Elle a su adapter sa chaîne de production aux attentes du client final, par l'intégration de la prise de commande dans le processus de fabrication. Ainsi, chacun des ordinateurs livrés répond aux attentes précises d'un client donné.

---

* ne pas oublier qu'un coupon-réponse doit être simple et facile à compléter. On privilégiera par exemple les cases à cocher.

Dell suit au jour le jour ses ventes, et arrive à répercuter à ses fournisseurs, quasi instantanément, les changements des attentes des consommateurs, qui eux-mêmes pourront adapter la fabrication de leurs composants. Mickaël Dell, le fondateur, défini ce processus comme une intégration virtuelle (en opposition avec l'intégration verticale). Par la suite, ses équipes marketing pourront, en fonction du PC acheté, proposer à leurs clients une série de services (formation, garanties) et/ou produits (imprimantes, cartes réseaux, serveurs) répondant spécifiquement aux besoins. Chacun des courriers envoyés s'adaptera à ces besoins.

En fait, l'approche marketing one-to-one fonctionne particulièrement bien quand le fabricant vend directement au client final. Il a donc un accès à l'information concernant son client (type d'achat, dépenses moyennes, fréquence des achats, critères de sélection et/ou de satisfaction, coordonnées). Le modèle de vente directe donne ainsi des avantages indéniables sur la compréhension et la maîtrise du client.

Cependant, le modèle de vente one-to-one devient plus difficile quand des intermédiaires existent entre le client final et le fabricant du produit. En effet, encore une majorité de produits de grande consommation sont vendus par des revendeurs, plus ou moins gros : super/hypermarchés, magasins spécialisés, boutiques, etc. Comment Danone, Procter & Gamble, Coca-Cola ou Compaq arrivent-ils à adapter leurs produits aux attentes spécifiques de chacun de leurs clients finaux ?

Le cas Packard Bell

• Problématique :

Face au succès des fabricants d'ordinateurs en vente directe (Dell, Gateway), Packard Bell, n° 1 de la vente de PC familiaux en Europe, voyait sa part de marché stagner sur le marché grand public, en particulier sur le marché du ré-achat. De plus, chacun de ses utilisateurs souhaitant avoir une offre personnalisée qui lui permette d'avoir une entière satisfaction du produit acheté.

• Objectif :

Adapter son mix produit afin de mieux satisfaire les attentes de chacun de ses clients.

• Méthodologie :

En fait, la stratégie de maîtrise du client s'effectue en quatre étapes :
- compréhension des attentes
- adaptation du produit et des axes de communication
- formation intensive du canal de vente
- compréhension des attentes nouvelles

• Descriptif de chacune des étapes :

Compréhension des attentes

Comprendre les attentes du client n'est pas une tâche facile.

– Une approche trop rationnelle des besoins du client, purement basée sur les études de marché, ne donnera qu'une vision parcellaire et rigide des attentes clients. De plus, les études de marché ne couvrent pas en général toutes les données de la problématique du choix du produit : prix, motivation. Enfin, lorsque le marché évolue vite, les délais de réalisation des études à un niveau européen ou mondial sont bien trop longs pour être utilisés.

– Une approche commerciale des attentes du client (remontée d'information depuis la force de vente) sera pertinente vis-à-vis de la concurrence et de l'évolution des besoins mais ne permettra pas de définir et de hiérarchiser les critères de sélection du client.

En fait, selon l'approche de Packard Bell, il faut maximiser l'utilisation de ces deux méthodes :

① *Pour les études de marché :*
– d'une part, développer les sources internes de remontée systématique d'information : les cartes de garanties par exemple, sont une bonne source de remontée d'information client : stable, récurrente et bon marché d'étude. De plus, le centre de support téléphonique, qui lui, a un contact avec le client final, est aussi une source de remontée d'information fiable et rapide à communiquer : insatisfactions, problèmes, requêtes, commentaires produit, etc. ;
– de plus, effectuer des études quantitatives ponctuelles sur les attentes spécifiques d'un groupe de clients : choix du produit, utilisation, besoins ;
– effectuer des études qualitatives sur les besoins ou usages : observation de l'utilisation du produit, évolutions futures, critiques.

Ces différentes sources permettront de hiérarchiser les besoins, d'organiser les requêtes, et de comprendre les évolutions.

② *Pour la remontée depuis le canal de distribution, deux principales sources :*
– la force de vente interne, qui connaîtra bien les attentes de la concurrence, le niveau de prix pratiqué.
– le canal de distribution qui connaîtra mieux les évolutions des offres, l'arrivée de produits nouveaux très prometteurs, les contraintes techniques d'utilisation, ou les critères de sélection.

Adaptation du produit et des axes de communication

La remontée d'information une fois effectuée permettra de définir :

① Quelles sont les typologies de besoins : pour le marché du PC familial, Packard Bell en identifie trois principales : les « prix avant tout », les « meilleurs rapports fonctionnalités/prix », et les « meilleures sensations ».

② En fonction de ces usages, on définit des groupes d'utilisateurs : les utilisateurs solitaires ou les étudiants, les familles avec enfants, les utilisateurs passionnés.

③ Quels sont les critères produit prépondérant lors de l'achat : prix, logiciels, performance, facilité d'utilisation.

④ L'adaptation du produit en fonction des critères par groupe d'usage.

⑤ L'adaptation du message publicitaire (mailing directs adaptés à chacune des cibles) et des outils de formation afin que les utilisateurs finaux se retrouvent dans les produits développés.

Formation intensive du canal de vente

Tout bon vendeur le sait, il faut d'abord écouter le client afin de bien identifier ses besoins avant de se lancer dans son argumentaire. La formation du canal de vente est primordiale afin que le vendeur puisse adapter son discours aux attentes propres de chacun de ses clients. Ainsi, le client pensera que le produit a été adapté pour ces besoins spécifiques (ce qui d'une certaine manière est le cas).

Compréhension des attentes nouvelles

Et on repart sur l'étape initiale de redéfinition des attentes. La boucle est bouclée.

En plus de ces techniques marketing de segmentation des usages et d'adaptation du message donné, Packard Bell s'est aussi lancé dans un programme de CTO (Custom To Order) avec ses partenaires revendeurs.

Technique particulièrement utile pour les utilisateurs chevronnés qui veulent « customiser » leur ordinateur : rajout d'un disque dur plus gros, plus de mémoire, plus de performance... En fait, en utilisant les modes de communication EDI (Echange de Données Informatisées – système d'information commun entre le point de vente et le constructeur), l'utilisateur rentre chez le revendeur le type de configuration qu'il souhaite, il paie la facture du revendeur, la commande est transmise directement au site européen de fabrication d'ordinateur Packard Bell, qui lance le lendemain la production de la configuration souhaitée. Ce modèle permet à l'utilisateur d'avoir tous les bénéfices de la vente indirecte (essai du produit, voir, toucher, discuter avec un interlocuteur en face à face) et de la vente indirecte (fabrication à la demande).

 De la conquête à la fidélisation

(par Gilles Domartini - Market Development - Manager - PACKARD BELL NEC)

Vendre un produit s'est considérablement compliqué au cours des dernières années car :
– l'offre a largement dépassé la demande sur la plupart des produits de grande consommation,
– le nombre de concurrents dans de nombreux domaines est important,
– les marchés les plus lucratifs se sont consolidés, et les barrières à l'entrée sont donc plus importantes,
– les modes d'expression du client se sont développés, les mauvaises nouvelles se propagent bien plus vite que par le passé : TV, Internet (exemple de Intel et de son bug sur le Pentium connu en trois semaines dans le monde entier).

Pourtant, les sociétés innovantes réussissent à pénétrer des marchés dits verrouillés (Cegetel avec SFR, AOM, Canal +...). Pourquoi de telles sociétés ont-elles réussies là où d'autres avaient échoué ? Parce que leurs techniques de vente et de marketing afin d'approcher le client, de l'éduquer, de l'amener à acheter son produit, de lui rester fidèle, ont su évoluer et se renforcer.

On se rend compte que certaines sociétés ont réussi à déstabiliser des mastodontes par leur grande maîtrise du marketing et de la communication client. Par exemple, comment Virgin et son chef spirituel Richard Branson ont-ils eu l'audace de s'attaquer à des tours de Babel telles que British Airways, ou Coca-Cola. Et quelle satisfaction ont-ils dû avoir en réalisant qu'ils avaient réussi à déstabiliser de tels monopoles !

Les grandes étapes dans la conquête et l'enrichissement de la relation client :

– Définition et lancement du produit
– Bâtir une culture d'entreprise
– Créer une communauté fidèle d'utilisateurs autour de cette culture
– Maximiser l'utilisation de cette communauté

Définition et lancement du produit

S'il n'existe pas de grandes règles de réussite commerciale, voici en revanche quelques règles de base qui permettent de mieux conquérir le client :

– Bien analyser son environnement concurrentiel avant de lancer son produit : le client n'est pas dupe, et un produit n'ayant pas suffisamment de bénéfices ne sera pas acheté.

– La qualité paie toujours : quel que soit le produit, une offre de qualité portera toujours ses fruits à long terme et valorisera d'autant plus le capital de la société en cas de problème. Si Danone a réussi à rester leader sur le marché des produits laitiers malgré l'agressivité des marques distributeur, ce succès est en partie lié à la qualité de ses produits.

– Sélectionner avec minutie le canal de distribution de ses produits : trop souvent, les managers oublient le rôle prépondérant du mode de distribution des produits avant de les lancer. Un excellent produit vendu dans un mauvais canal de vente ne verra pas ses ventes décoller. Les sociétés qui arrivent à pénétrer certains monopoles sont souvent celles ayant choisi d'adopter une nouvelle stratégie de distribution : Amazon, Packard Bell (voir ci-après)

– Dès le lancement du produit, avoir une identité de marque facilement identifiable et mémorisable : Gateway 2000 dans la micro-informatique avec ses dessins de vaches sur ses boîtes a obtenu une notoriété très forte sans gros investissements. Avec le temps, ces logos deviennent incontournables : Coca-Cola, Nike, Mac Donald, Michelin...

– Avoir un service en corrélation avec l'image véhiculée du produit : pourquoi les vendeurs de boîtes de conserve ont-ils créé le Service Consommateur ? Parce que c'est un petit "plus" service sur un produit sans âme, qui avait besoin d'ouvrir une relation avec son client. À un autre niveau, Décathlon, par exemple, a voulu aussi apporter son expertise à tous les sportifs désireux d'apprendre une discipline, et ses vendeurs sont devenus des conseillers sportifs par discipline.

Bâtir une culture d'entreprise

Le client doit se reconnaître dans l'entreprise qui lui fournit ses produits.
Sans cette identification à l'entreprise, il ne percevra pas les mêmes bénéfices produits.

Afin de s'identifier, l'entreprise doit lui fournir un certain nombre de valeurs fondamentales : le bien être (Danone), la compétition (Nike), la chance/malchance (VW), la nature (Aigle)...

Aussi, l'entreprise doit bâtir ces valeurs et bannir celles qui ne correspondent pas à son image.

Créer une communauté d'utilisateurs autour de cette culture

Chacun des utilisateurs des produits pourra s'identifier à ces valeurs et se regrouper autour d'une communauté. Certains groupes d'utilisateurs peuvent devenir très solidaire (HOG, Club de Harley Davidson, Apple Users). Afin de créer cette communauté, l'entreprise doit développer des outils qui permettront aux membres potentiels de cette communauté de se fédérer autour de ces outils. Ils peuvent être :

- Club
- Newsletter
- Meeting
- Forum de discussion
- Etc.

Afin de maximiser la valeur de ces groupes, l'entreprise doit offrir certains avantages aux membres de la communauté :

- Discount
- Visite des sites de production
- Offre spéciale
- Services complémentaires
- Cadeaux
- Etc.

Ainsi, les membres se sentent impliqués et valorisés par cette participation au sein de la communauté.

Maximiser l'utilisation de cette communauté

Une fois la communauté bâtie (ce qui prend beaucoup de temps selon la force des valeurs de l'entreprise), la société peut utiliser les membres de cette communauté afin de maximiser l'usage et l'impact sur leur entourage.

– Par exemple, implication lors de la définition de produits nouveaux : ils seront enchantés d'expliquer leur usage passé, d'émettre des suggestions, de tester les nouveaux produits… gratuitement.

– Utiliser leurs propos dans la communication, quel meilleur impact qu'un client satisfait s'adressant à un prospect ?

– Faire des offres de parrainage : donnez-moi un nouveau client et recevez un cadeau.

Le membre de la communauté est en fait un ambassadeur de la marque.

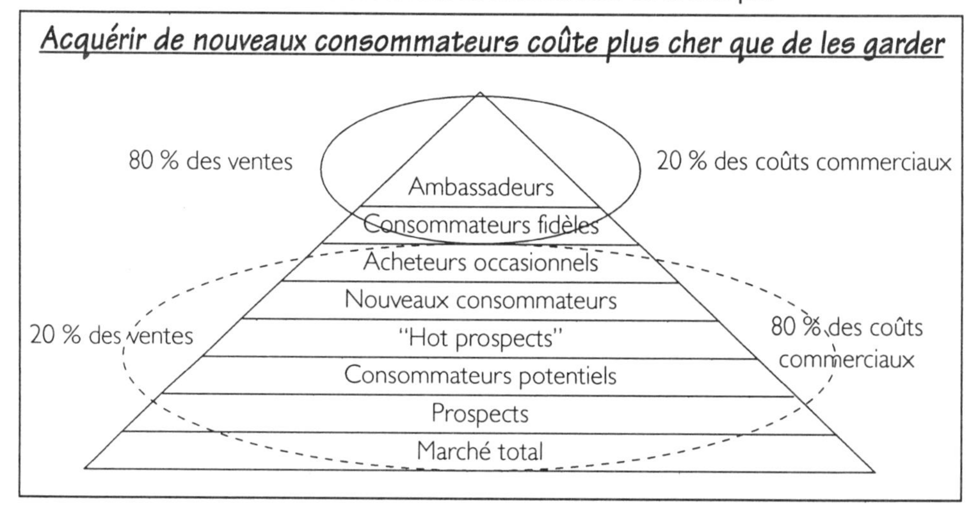

Le cas Packard Bell

• Problématique :

La fidélité des acheteurs de PC à une marque est faible. Or, le coût de rétention d'un client est bien inférieur au coût d'acquisition.

• Objectif :

Augmenter le taux de fidélisation au rachat de 25 % à 45 %.

• Méthodologie :

Dès sa création, Packard Bell s'est défini une mission de marque : apporter à chaque foyer familial un ordinateur complet, convivial, facile à utiliser, vendu par des canaux de grande distribution.

Si cette mission paraît aujourd'hui simpliste, elle était pourtant très innovante en 1986, quand les autres constructeurs de PC ne pensaient pas fabriquer d'ordinateurs dédiés à l'usage familial.

Cette position de précurseur a permis l'analyse du marché et de la conccurence et ainsi d'identifier les demandes principales des acheteurs familiaux, et les faiblesses des concurrents.

C'est pourquoi, Packard Bell a été le premier constructeur à offrir :
– des logiciels de qualité déjà pré-installés sur le disque dur
– des câbles de connexion de couleurs pour les branchements faciles
– des manuels riches en illustration
– des logiciels spécifiques permettant d'utiliser plus simplement le PC (PB Navigator, PB Tutorial)
– un service de support téléphonique dédié aux acheteurs

Ces innovations ont permis à Packard Bell d'être rapidement identifié sur le marché grand public comme la référence et ainsi de devenir le leader de la vente grand public aux Etats-Unis en 1990 puis en Europe en 1994.

Associée à ces innovations produits, Packard Bell a bâti une identité propre. Une image proche des gens, avec des photos d'utilisateurs, un design spécifique et innovant, un mode de communication se rapprochant de la vente de grande distribution (PLV, brochures).

L'image ainsi créée, cette culture sympathique de l'ordinateur sans jargon, simple à utiliser, exprimée par les publicités et le produit, a été déclinée à tous les niveaux afin d'en faire une culture d'entreprise : lors de la définition du produit, afin que chacun se sente le désir d'amélioration constante du produit pour l'utilisateur final, dans le service après-vente afin que les techniciens au téléphone adoptent un discours adapté aux utilisateurs novices (la liste des anecdotes est d'ailleurs longue) etc.

Cette culture a bien été ressentie par les utilisateurs et des clubs ont commencé à apparaître afin que chacun puisse discuter des enrichissements qu'il a apporté sur son Packard Bell. Le développement d'Internet permet d'ailleurs d'accentuer le développement de telles communautés qui se retrouvent facilement pour échanger des informations (positive, ou négative parfois).

Ces clubs et associations, involontairement créés par Packard Bell, ont été ensuite développés grâce à l'implication des équipes marketing de la société. Grâce à la capacité de négociation de Packard Bell, les membres de ces clubs bénéficient d'offres promotionnelles de remplacement de leurs ordinateurs, ou de rajouts de composants, d'invitations à des conférences et/ou salons micro-informatiques. Un journal, le Packard Bell Connection, fut aussi créé aux États-Unis afin d'informer les utilisateurs des changements et innovations au sein de la société.

Packard Bell a par la suite maximisé l'usage de ces groupes afin de leur faire tester les produits venant de sortir, de conseiller les équipes d'ingénieurs en vue de futures créations logiciels ou Hardware, ou qui ont permis à l'entreprise d'investir dans les activités critiquées par ses clients (investissement dans les services après-vente de plus de 50 millions de dollars).

Les résultats ont été assez étonnants et de trois ordres :
1. Réduction globale des sources d'insatisfaction client.
2. Amélioration de la fidélité client lors du réachat : la fidélité client a légèrement dépassé le seuil des 45 % initialement fixé comme objectif (niveau très élevé pour ce type de produit).

3. Accroissement du taux de renouvellement : plus de 80 % des acheteurs ont décidé de racheter un ordinateur (dont 45 % un Packard Bell), ce qui, d'une certaine manière, bénéficie à toute l'industrie.

Les chiffres du point 2 et 3, permettent d'assurer un accroissement naturel des ventes annuelles des ventes complémentaires de plus de 15 % par an.

Le graphique permet d'illustrer cet accroissement naturel de vente.

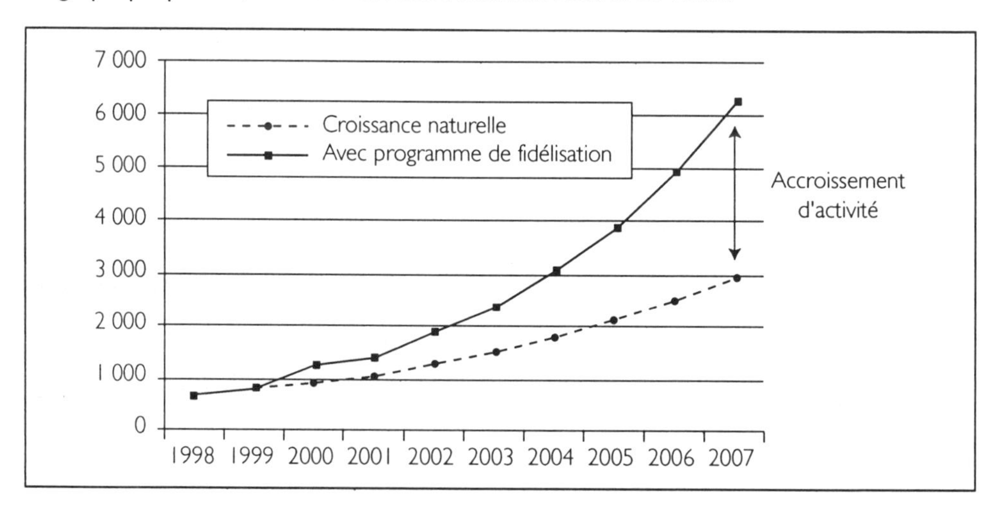

On constate ainsi que sur des marchés à croissance faible, les entreprises tirent profit d'une politique de fidélisation, pour stabiliser tout d'abord leur activité puis pour la développer, en s'assurant des ventes de renouvellement plus certaines, et des ventes complémentaires sur les produits déjà acquis par les consommateurs.
Il est bien évident que sur des marchés en développement, cette même démarche permet d'obtenir une croissance plus forte que la croissance naturelle. C'est la raison pour laquelle toute entreprise mettra en place des programmes de fidélisation qui, en tout état de cause, diminueront l'évasion des clients vers des marques concurrentes.

Chapitre III

LES NOUVEAUX OUTILS DU MARKETING

DÉCOUVRIR

« Abandonner ce qui ne marche plus, ce qui n'a jamais marché, ce dont l'utilité et la fécondité ont disparu. »
Peter Drucker*

I Les évolutions nécessaires du marketing mix

A. L'évolution des 4 P

Face à l'abondance des offres concurrentes, le consommateur est devenu mature et plus exigeant. La réponse traditionnelle des entreprises par la segmentation de marché ne suffit plus. Le consommateur exige aujourd'hui une offre personnalisée ; concrètement, pour le responsable marketing, cela signifie la fin d'un certain marketing mix.

Le tableau ci-dessous illustre quelques-uns de ces changements sur le marché grand public.

	Années 70-80	**Années 90-2000**
Produit	Gammes larges pour répondre aux différents segments de marché	Produit "sur-mesure" – concepts de "différenciation retardée", de "sur-mesure de masse"
Prix	Gamme de prix large – Forte activité promotionnelle	Personnalisation – Yield management
Communication	Médias de masse (TV, radio...), publi-postage... Peu ou pas d'interactivité	Communication personnalisée et interactive (Internet, publicité interactive sur les nouveaux médias : câble, satellite...)
Distribution	Grande distribution alimentaire et spécialisée Le consommateur se déplace pour acheter produits et services.	Multiplicité et diversité des canaux Développement de la vente directe Le service ou le produit sont délivrés où et quand le client le désire

Nous étudierons le sens de ces différents changements et leur contenu concret dans la partie "Comprendre".

B. Des 4 P au 7 P

La présentation la plus connue du marketing mix est celle dite des "4P" : Product, Price, Place, Publicity, ce qui dans la langue de Rabelais peut se traduire par : Produit, Prix, Distribution, Communication. Le caractère simple de cette présentation a permis sa diffusion dans le monde entier auprès de millions d'étudiants et de praticiens.

* *Au-delà du capitalisme*, Peter Drucker, Dunod, 1992.

Mais la complexité de l'environnement actuel a conduit les chercheurs à proposer de nouvelles formulations du marketing mix. Parmi celles-ci, la grille dite des 7 P, qui à défaut d'être autant utilisée que les 4P classiques, n'en offre pas moins un cadre d'analyse, de décision, d'action et de contrôle plus riche que les variables traditionnelles.

- Product
- Price
- Place
- Promotion
- Physical Evidence
- Process Design
- Participant

Si les quatre premières variables sont sans surprise, les suivantes enrichissent significativement l'analyse.
• **"Physical Evidence"** : il s'agit de la mise en scène de la marque.
Le champ des décisions couvre :
- l'emballage
- le design du produit (voir le rôle du design dans le succès de l'iMac d'Apple, la New Beetle de Volkswagen, ou certains téléviseurs de Thomson designés par Philippe Starck)
- l'aménagement des magasins (Benetton, les "shop in a shop" d'Apple dans les magasins CompUSA...)
- la création d'immenses espaces dédiés à la marque, comme par exemple le magasin Sephora sur les Champs-Elysées (1 500 m^2 de superficie), les Virgin Megastore, ou le Nike Town de New-York (7 900 m^2).

• **"Process design"** : il s'agit de l'ensemble des processus ayant pour but de délivrer au client une valeur supérieure à celle des concurrents. Cela peut donc regrouper aussi bien les processus d'approvisionnement et de réassort des magasins (Benetton), que la mise en œuvre de la différenciation retardée des produits (Ikéa, Smart ou Dell) ou encore les programmes de formation des hommes.
• **"Participant"** renvoie à la conception de la participation du client. Quel rôle va jouer le client dans le processus d'achat, comment va-t-il être aidé par les supports physiques (aménagement de zones dédiées dans les points de vente, présentation des produits sur les étagères, nature de l'information produit, interface utilisateur des machines automatiques ou des logiciels de consultation à distance, nature de l'aide apportée par le personnel en contact...). La qualité de "l'expérience client" dans un magasin IKEA, dans un "shop in a shop" Apple ou dans un magasin Benetton démontre l'intérêt d'une réflexion rigoureuse sur la nature de la participation du client à un acte d'achat d'un produit ou d'un service.

C. L'émergence du cybermarketing

L'intégration d'Internet dans la stratégie marketing des entreprises est un sujet qui suscite de nombreux débats, de multiples expériences et de premières tentatives de représentation.
On notera en particulier la définition du cybermarketing d'Arnaud Dufour : "utilisation de la puissance des médias numériques interactifs, des réseaux en ligne, de la communication entre ordinateurs pour atteindre les objectifs marketing de l'organisation*".

* in *Le cybermarketing*, Arnaud Dufour, *Que sais-je ?*, PUF, 1997.

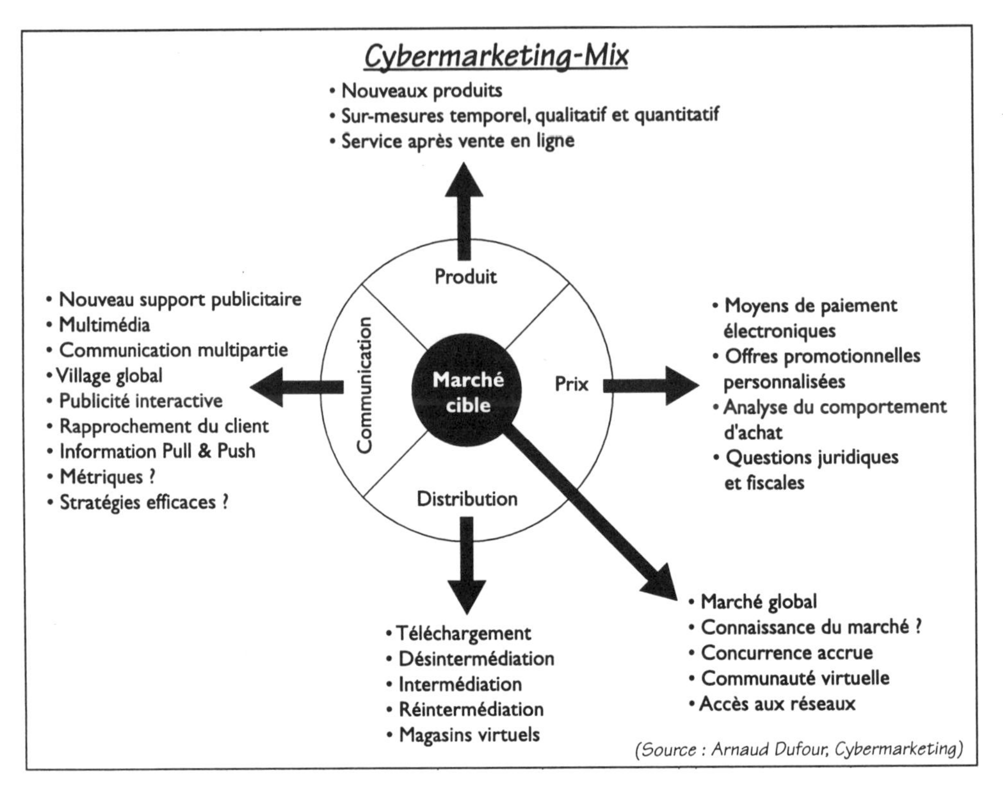

(Source : Arnaud Dufour, Cybermarketing)

Les principales promesses du cybermarketing sont :
– l'opportunité de développer le "sur-mesure de masse" (ordinateurs DELL ou APPLE, journaux électroniques personnalisés...) ;
– un espace ouvert pour de nouveaux marchés rémunérateurs, par la réduction des coûts de transaction (Échange de Données Informatisées, mise en place d'Extranet entre l'entreprise, ses fournisseurs et ses clients...) ;
– l'apparition de nouveaux systèmes de paiement, dont le porte-monnaie électronique, rendant possible et surtout rentable la micro-facturation ;
– la mise en place de canaux de distribution originaux, permettant d'atteindre instantanément et à faible coût des millions de contacts répartis dans le monde entier ;
– de nouveaux moyens de communication entre l'entreprise et ses clients : interactivité, personnalisation, développement de véritables communautés virtuelles...

II Le rôle stratégique de la marque

A. Le rôle de la marque

Reprenons les propos d'Emmanuelle Delfour déjà cités en 1re partie : "La marque est source de valeur pour qui la possède et l'exploite. Elle facilite le référencement dans la grande distribution, condition sine qua non du succès commercial des biens durables ou de grande consommation. Elle obtient l'appui des revendeurs sur les marchés industriels. Elle crée une prédisposition à l'achat pour les consommateurs. Et même si elle coûte cher – il faut la "nourrir" de publicité et de R&D pour assurer sa croissance – elle apporte un surplus d'acheteurs, elle autorise des prix plus élevés (la prime de marque) et permet de réaliser des marges substantielles du fait des économies d'échelles qu'elle suscite[1]".

Une marque s'appuie sur des valeurs matérielles (produit, emballage, performances...) et des valeurs immatérielles.

Il est essentiel de veiller au risque de distanciation entre l'image de la marque et la réalité produit.

"Pour 65 % des consommateurs, la marque demeure le critère déterminant dans le choix d'un *bien durable*. C'est en micro-informatique que l'importance de la marque est la plus forte avec 74 %. Arrive en 2e position le type de magasin. Les hypermarchés sont les circuits préférés des 16-30 ans (57 % contre 45 % pour les 60 ans et plus), alors que les seniors font davantage confiance aux spécialistes traditionnels[2]."

"Les marque les plus pérennes seront celles qui sauront incarner une vision du monde à laquelle des consommateurs voudront s'identifier de façon durable. En consommant ses produits, ils auront le sentiment, comme dans le vieux cannibalisme, de s'en approprier les talents spécifiques.[3]"

B. La formation du capital-marque

Quels sont les facteurs qui contribuent à instaurer le capital-marque[4] ?

La fidélité à la marque :

- L'un des exemples les plus spectaculaires est celui d'Apple. Passant de 10 % de part de marché mondial en 1990 à 3 % début 1998, la firme californienne n'aurait pu survivre puis effectuer un spectaculaire come-back mi-1998 sans l'incroyable fidélité des aficionados de la pomme.
- Comme le souligne Steve Jobs[5], Apple dispose de "4 outils importants pour renouer avec la croissance : sa marque, sa base installée de 22 millions de clients, son incroyable talent en matière de design et la simplicité de son système d'exploitation".
- Des clients fidèles, c'est un gage d'efficacité commerciale et d'efficience des actions marketing par la réduction des coûts.

---

[1] In le capital marque en question, Emmanuelle Delfour, Connaissance et Action, Publication du Groupe ESC Bordeaux, n° 1, mai 1996.

[2] Étude GFK, citée dans Marketing Magazine. Critères d'achat. Biens durables : la marque déterminante. n° 18 - Janvier-Février 1997.

[3] In Dictionnaire du XXIe siècle. Jacques Attali. Fayard, op. cit. page 68.

[4] In le capital marque en question.

[5] MacWorld keynote, juillet 1998.

La notoriété :

Le produit doit être connu pour être choisi. D'où, par exemple, les efforts d'Ericsson pour développer rapidement sa notoriété au niveau international ces dernières années, parallèlement à ses ventes de téléphones portables.

La qualité perçue :

Le niveau de qualité perçu par le consommateur et/ou le distributeur, est un fort élément de différenciation pour la marque. Elle permet et contribue à justifier des prix supérieurs et facilite les extensions de gamme.
Attention néanmoins : la qualité ne peut plus s'appuyer uniquement sur la mise en avant de la marque, elle doit être justifiée par des bénéfices clients concrets. L'époque où Sony pouvait vendre ses produits 30 % plus cher que les produits concurrents comparables sur la seule affirmation "It's a Sony" est révolue.
Afin d'éviter tout risque de distanciation entre l'image de la marque et la réalité produit, l'entreprise doit lancer de *vrais nouveaux produits*. Là encore, Apple a réussi en quelques mois un redressement, qui est d'ores et déjà disséqué dans les business schools américaines :
Phase 1 : retour du très médiatique et charismatique fondateur Steve Jobs aux commandes de la compagnie,
Phase 2 : signature de l'accord Apple – Microsoft pour rassurer clients, prospects et actionnaires,
Phase 3 : lancement de la campagne de communication "Think different" mettant en scène des personnages qui incarnent chacun à sa façon une force de création unique : Einstein, Picasso, Martin Luther King, Richard Branson*, John Lennon, le Mahatma Gandhi, Maria Callas ou Thomas Edison... L'idée sous-jacente, mais non exprimée : "s'ils avaient eu un ordinateur, c'eut été un Mac". Objectif de la campagne : rendre à nouveau la marque Apple désirable et "in".
Phase 4 : campagne de publicité comparative démontrant la supériorité en terme de puissance des Mac sur les micro-ordinateurs à base de Pentium II. Objectif : affirmer fortement et prouver la supériorité produit.
Phase 5 : lancement du iMac que Steve Jobs qualifie de "the most kick-ass consumer product we could think of". Un produit au design innovant, permettant à tous les gens réticents à la technologie de surfer sur Internet, 10 minutes après avoir ouvert le carton d'emballage. L'iMac, produit fortement différencié par rapport à la concurrence, contribue à réaffirmer la différence de la firme californienne et son image de marque basée sur l'innovation, la convivialité et la facilité d'utilisation.

Les attributs associés à une marque (innovation, convivialité pour Apple, sécurité pour Volvo...) facilitent son positionnement et sa différenciation. Ils peuvent générer un véritable avantage concurrentiel.

C. La gestion des marques

Une marque forte est source de valeur pour l'entreprise. Depuis quelques années, on observe assez logiquement une évolution des responsabilités centrées sur les produits

* Le PDG de Virgin Records s'attaque successivement à tous les géants en lançant une compagnie aérienne, une marque de Cola, des magasins de produits de beauté...

(gérés par des chefs de produit) vers une responsabilité centrée sur la (les) marque(s) gérée(s) par des responsables des marques.
Mais les décisions stratégiques impliquent nécessairement la Direction Générale.
Aussi les portefeuilles de marques des entreprises évoluent-ils en fonction d'éléments internes (création de nouvelles marques par l'entreprise), mais aussi externes (fusion, acquisition, cession).

Comment prendre la décision "d'étendre une marque" ?
Quels sont les différentes stratégies de marques ?
Comment rationaliser un portefeuille de marques ?

Avant d'"étendre une marque[1]", il est nécessaire :
- d'apprécier le degré de nouveauté du produit pour le marché. Il faut être certain que le consommateur accepte le concept avant d'envisager une extension de la marque. On notera que pour la Smart, Mercedes, prudemment, n'utilise ni son nom, ni son réseau de distribution.
- d'apprécier le degré de similarité entre les produits de l'extension et les produits d'origine. L'utilisation d'une marque de crème de beauté pour des produits de maquillage par exemple ne présente pas de risques élevés.
- de repérer les valeurs associées au positionnement de la marque et la possibilité d'exploiter ces valeurs sur d'autres marchés. La marque Cartier a été étendue des montres aux foulards avec succès. L'extension de Bic, marque de stylos jetables, a échoué sur le marché des parfums.

Il est également possible de créer une marque ex-nihilo comme Coca-Cola ou Nestlé ou de mettre en place des politiques de marque plus complexes :
- développer un nom de marque par produit : Ariel, Vizir ou Dash pour Procter et Gamble. On parle alors de marque-produit.
- donner des noms génériques par lignes de produits : Antaeus, ligne de produits pour homme de Chanel. C'est la marque-gamme.
- d'accoler, au nom de l'entreprise, un nom de marque propre à chaque produit : Nescafé ou Nesquick pour Nestlé. C'est la marque caution.
- de couvrir d'un même nom de marque un ensemble hétérogène de produits. Téfal. C'est la marque ombrelle[2]".

Confrontées à un développement anarchique de leurs portefeuille de marques après une quinzaine d'années de segmentation débridée du marché et de lancements de me-too products, de grandes entreprises ont décidé depuis quelques années de rationaliser leur portefeuille de marques.
Ce qui conduit parfois à supprimer certaines particularités nationales (Raider est devenu Twix), à repositionner certaines marques sur des marchés ou des circuits de distribution spécifiques, voire à signer l'arrêt de mort de marques insuffisamment attractives pour justifier des investissements publi-promotionnels importants.
Cette rationalisation a touché de grands groupes : Danone, BSN, Johnson Wax, Procter et Gamble... mais aussi des PME comme Kindy[3]...

---

[1] et [2] Gestion marketing, marketing stratégique et risque commercial. Jean-François Trinquecoste, op. cit. page 28.
[3] in Capital, n° 75, Kindy, le petit futé de la chaussette.

L'entreprise a mis en place une politique de marque, en fonction des réseaux de distribution :
- dans la grande distribution, la marque Kindy (chaussettes et sous-vêtements) et une gamme de sous-vêtements pour homme sous licence Disney,
- dans la distribution spécialisée (45 grands magasins et 1 100 détaillants), les marques Mariner (slip, caleçon, pyjama) et les chaussettes Labonal.

D. Les voies de la reconquête

"Si les marques sont aujourd'hui en crise, c'est parce que les valeurs immatérielles qu'elles ont mis en scène ont fini par décrocher de la réalité des produits et services : à trop miser sur l'image aux dépens des fonctions, une "distanciation" s'est créée conduisant à la remise en cause de certaines marques historiques, au déclin ou à la disparition d'autres et à l'apparition de non-marques.*"

Les voies de la reconquête sont :

- La primauté donnée au produit.

La nécessaire innovation exige des investissements en R&D, et dans le repérage et la compréhension des attentes non encore exprimées. C'est la condition nécessaire pour imaginer de nouveaux concepts, créer de nouveaux produits et services, qui seront les sources de la croissance future de l'entreprise.
L'Espace pour Renault, l'iMac d'Apple, les montres Swatch, le système Sensor de Gillette sont des produits qui renforcent la perception globale de la marque.

- L'intensité publicitaire.

"Elle maintient le statut de référence de la marque dans le rayon mental du client. Gillette n'a pas hésité à investir 200 millions de $ pour lancer le système Sensor. Apple a porté ses investissements publicitaires en 98 à plus de 100 millions de $ (campagne "Think different", lancement de l'iMac).

- Le développement de liens directs entre la marque et les clients.

En évitant l'écran et le filtre de la distribution ou de la publicité de masse, en s'échappant des codes de communication rigides dans lesquels elles se sont souvent enfermées à partir des médias traditionnels.
C'est dans cet esprit de liberté de parole, de la recherche d'une complicité avec le public, que BMW a payé 40 millions de $ pour être présent dans le James Bond "Demain ne meurt jamais", que Volkswagen a sponsorisé la tournée européenne des Rolling Stones, le "Voodoo Lounge Tour", et créé une série limitée Golf Rolling Stones, ou encore payé 3 millions de francs pour que la Passat soit vue dans "les Visiteurs 2", par des millions de téléspectateurs...
Les outils du marketing relationnel (publicité interactive, communication bi-directionnelle sur internet ou plus classiquement une force de vente nombreuse et très présente sur le terrain) sont autant de leviers puissants pour jouer la carte de la proximité avec le consommateur.

---

* In *La fin des marques*. Philippe Villemus. les Éditions d'Organisation, 1996.

Une gestion plus habile de la variable prix

Dans le domaine des produits de grande consommation, "les parts de marché des marques de fabricants et leur résistance face aux distributeurs sont directement proportionnelles :
- au taux d'innovation dans la catégorie (quel pourcentage du chiffre d'affaires est réalisé par des produits lancés depuis moins de trois ans) ;
- à l'intensité publicitaire qui maintient le statut de référence de la marque dans le rayon mental du client ;
- aux différences de prix avec les MDD[1] et les premiers prix[2]."

Globalement, le sens de l'histoire va vers une réduction de l'écart de prix avec les concurrents, une absence d'alignement sur les marques de distributeurs et le maintien d'un équilibre entre survaleur et surcoût pour le client.
Confrontés à une double contrainte, investir massivement en R&D et en Communication, et rester "raisonnable" dans la fixation des prix de vente, les entreprises doivent s'engager dans une véritable chasse aux coûts non producteurs de valeur ajoutée.

L'exemple de Danone est à ce titre instructif :
L'entreprise a vu, au début des années 90, ses parts de marché sur le yaourt nature s'effriter. Le géant de l'agroalimentaire ne s'est d'abord pas alarmé : les nouveaux produits dégageant de fortes marges rencontraient un vif succès sur le marché.
Des études auprès de consommateurs ayant mis en évidence que le yaourt nature était très associé à l'image de la marque Danone, les dirigeants du groupe ont estimé que la poursuite de la dégradation de part de marché sur ce produit était dangereuse pour l'entreprise.
"Une marque prouve sa valeur sur ses produits de base. Ceux sur qui elle a basé son succès[3]". Leurs coûts de production et de distribution étant trop élevés pour permettre de baisser le prix de vente pour diminuer l'écart de prix avec les concurrents, ils ont décidé d'étudier dans le détail la formation des coûts depuis la récolte du lait jusqu'au linéaire de la grande surface. A l'issue de ce processus, les coûts ont été baissés de 30 %, permettant une baisse de tarif, tout en conservant des marges confortables. Résultat : six mois plus tard, Danone avait regagné le terrain perdu.

---

[1] Marques De Distributeurs.

[2] In *Quel avenir pour les marques*. Jean-Noël Kapferer in L'Art du Management, op. cit. page 27.

[3] in *La fin des marques*. Philippe Villemus. op. cit. page 116.

I La politique produit

A. Les voies de la personnalisation

Nous avons évoqué les principaux changements affectant la politique produit. Quelles en sont les significations ? Les applications concrètes au niveau marketing ?
Les voies de la personnalisation s'appuient sur trois concepts-clefs : "différenciation retardée", "sur-mesure de masse", "fabrication à la demande"...

La différenciation retardée :

L'idée est simple : fabriquer en grande série les "briques de base" d'un produit ou d'une gamme de produit et ne réaliser l'ultime assemblage que le plus tard possible pour permettre une adaptation aux besoins du consommateur.
Quelques exemples vont nous permettre de mieux comprendre les modalités pratiques de mise en œuvre de ce concept, ainsi que ses avantages pour l'entreprise et le client.

L'exemple d'IKEA

Imaginons qu'un couple souhaite acheter une cuisine. Quel sera son parcours, les différentes étapes de son "expérience client" ?
Après une réflexion (recherche d'idées...) à partir du catalogue, une visite en magasin pour voir les meubles en situation, et après s'être fait éventuellement aidé par un conseiller en aménagement IKEA, le couple va prendre les décisions suivantes : choix des éléments bas et des armoires, du plan de travail, des éléments muraux et des corniches, des plinthes et enfin des éviers, robinets et petits accessoires.

Cette cuisine n'est composée que d'éléments standards, mais son assemblage réalisé par le client en fait une cuisine personnalisée. La différenciation n'a pas lieu à la fin d'une chaîne de fabrication, mais sur le point de vente, par le client quelques minutes avant son passage en caisse.

Les avantages pour IKEA :
– production en grande série (donc à faible coût) d'une gamme limitée d'élément standards,
– puissance d'achat auprès des fournisseurs,
– faibles coûts de transport et de stockage*.

La livraison et le montage étant assurés par le client, les coûts de revient d'IKEA sont bas et permettent de pratiquer des prix attractifs, tout en proposant une offre personnalisée.

* Les différents élément sont livrés en paquets plats.

Les avantages pour le client :
– un produit personnalisé, à un prix attractif,
– une disponibilité immédiate.

Ce concept de différenciation retardée est mis en œuvre dans de nombreux secteurs d'activité.
Dans le textile, Benetton n'applique sa teinture sur les fibres qu'au dernier moment pour tenir compte des goûts du consommateur, les concessionnaires Smart proposent au client de choisir dans la concession les couleurs de la carrosserie, de l'aménagement intérieur[1], ainsi que les différentes options (toit panoramique, auto-radio...) avant de repartir une heure plus tard avec le modèle désiré.

Le sur-mesure de masse

Si les séries spéciales à tirage limité, voire numéroté font partie des approches classiques de l'offre sur-mesure, on observe depuis quelques mois l'apparition de séries uniques (Macintosh du XXe anniversaire au design futuriste, série limited 1 de Smart...) et de la couleur : Nokia axe sa campagne publicitaire sur la possibilité de personnaliser son mobile grâce à des coques de différentes couleurs et Lancia propose à l'acheteur d'une Lancia Epsilon de choisir sa teinte de carrosserie parmi cent douze couleurs. Un modèle réduit au 1/25e de la teinte souhaitée est envoyé au domicile du client qui dispose de trois semaines pour changer d'avis.

La fabrication à la demande

Afin d'éviter le double problème de la rupture de stock sur les produits, dont la demande se révèle supérieure aux prévisions de vente, et les coûts de stockage et de dépréciation de stock sur les produits moins demandés que prévus par le consommateur, de nombreux fabricants ont mis en application le concept de "fabrication à la demande"[2].
C'est le cas de Dell et Gateway sur le secteur micro-informatique : le client définit la configuration dont il a besoin (microprocesseur, mémoire vive, mémoire de masse, lecteur de CD-ROM, modem, logiciels pré-installés...), passe sa commande par fax ou par internet. L'ordre est transmis à l'usine, et en moins de huit jours, le produit est assemblé, personnalisé, testé et envoyé à l'adresse de livraison indiquée par le client.
Le succès de ce modèle lui vaut d'être imité par Apple et d'être mis en œuvre dans d'autres secteurs d'activité (le textile avec Levi's... et bientôt chez Mac Donald, pour les hamburgers).

On remarquera que le mariage de la différenciation retardée, du sur-mesure de masse et de la fabrication à la demande est de nature à donner aux entreprises qui les mettent en œuvre un avantage compétitif certain.

Nous verrons plus loin que ces mêmes concepts appliqués, non plus à l'univers des biens physiques mais à celui des services constituent un cocktail d'une rare efficacité et d'une remarquable efficience.

---

[1] et de visualiser le résultat à partir d'une borne interactive.
[2] "built to order" en américain.

B. Le rôle du design

Le design est un élément de différenciation pour les marques dans de nombreux secteurs d'activités.
Ainsi dans l'automobile, tous les modèles finissent par se ressembler sous la pression de la mondialisation des marchés et des coopérations ou regroupements industriels : Peugeot, Citroën et Fiat proposent le même monospace, la 106 ressemble à la Saxo...
Pour lutter contre cette uniformisation, les constructeurs lancent depuis quelques mois des modèles à forte personnalité : cabriolets sportifs, breaks tout terrain... destinés à réanimer l'imaginaire, l'émotion autour de leurs marques.

Le cas de la Beetle (la nouvelle Coccinelle) est à ce titre exemplaire. S'appuyant sur les solides bases techniques de la Golf, la Beetle jouit d'un design rappelant les lignes de la Coccinelle[1] tout en s'inscrivant dans la modernité (double airbag...)
Voiture "émotion", voiture "coup de cœur", la Beetle joue à fond la carte de l'imaginaire et de la nostalgie auprès d'un public de 30 à 50 ans.
Ce magnifique coup de crayon des designers permet à Volkswagen de pratiquer une sur-tarification[2] sensible par rapport à la Golf, et de bénéficier des retombées médiatiques et commerciales d'une véritable "Beetlemania".

Le lancement de produits au design innovant est au cœur des périodes fastes d'Apple[3].
Quand Steve Jobs a embauché Harmuth Esslinger, le créateur de la Porsche 928, il voulait que les produits Apple cessent d'être simplement des machines pour devenir des œuvres d'art. Et Esslinger créa en 1984 l'Apple IIc, une version compacte du célèbre Apple II.
Steve Jobs renouvellera l'exploit avec l'iMac, dont le lancement en août 1998 aux Etats-Unis est un succès sans précédent dans l'histoire de la micro-informatique. Au bout de trois semaines de lancement, l'iMac était n° 2 des ventes, et représentait 7 % des ventes de micro-ordinateurs. Comme Volkswagen, Apple bénéficiait de retombées médiatiques sans précédent.

On ne peut s'empêcher de penser à Roland Barthes, qui fut l'un des premiers à exprimer à propos de la DS 19 de Citroën que la technique produit de l'art.

"Je crois que l'automobile est aujourd'hui l'équivalent assez exact des grandes cathédrales gothiques : je veux dire une grande création d'époque, conçue passionnément par des artistes inconnus, consommée dans son image, sinon dans son usage, par un peuple entier qui s'approprie en elle un objet parfaitement magique[4]".

Ou à Jean-Louis Gassée, ancien patron de la Recherche et du Développement chez Apple :

---

[1] la voiture la plus vendue dans le monde.
[2] Prix de vente en France de la Beetle : entre 120 et 130 000 F (19 000 euros environ).
[3] L'inverse est vrai. Les périodes sombres du constructeur correspondent à des époques où les produits se différenciaient mal du commun des P.C.
[4] in "La nouvelle Citroën". Extrait de Mythologies, Roland Barthes, © Éditions du Seuil, 1957.

"On finira bien par s'apercevoir que ces machines sont des œuvres d'art à part entière, ce n'est pas seulement parce qu'elles sont belles, bien emballées, mais aussi dans leur conception interne, dans l'harmonie de leurs structures invisibles*".
Un walkman Sony, une chaîne Hi-Fi B&O, une Beetle de Volkswagen, un iMac d'Apple, une bouteille d'Orangina sont des objets qui ont leur beauté particulière bien que reproduite à des milliers d'exemplaires.

Le design peut aller au-delà du produit, et inspirer la conception de points de vente, qui sont de véritables lieu de rencontres et de mise en scène de la marque.

C'est le cas du magasin Sephora ouvert le 21 décembre 1996 sur les Champs Elysées.
Surfant sur la vague citoyenne, Sephora a profité de ses 1 500 m^2 de superficie pour créer des surfaces de "non-vente" et offrir ainsi une approche plus culturelle des parfums. L'entrée du magasin est un véritable "auditorium sensoriel". Des centaines de bouteilles d'essences forment un orgue à parfums pour développer la culture olfactive. L'animation de cet espace est confiée à un nez répondant aux interrogations du public sur son métier. Autres signes de la dimension culturelle : des espaces d'exposition, une collection de flacons rares, et la possibilité d'acheter livres, romans, CD-Rom dans le domaine du parfum et de la beauté.

C. Innovation et imagination

Le ralentissement de la croissance de nombreuses entreprises, la remise en cause de certaines marques, la réduction des marges des producteurs, la faible rotation et le déréférencement de nombreux produits sont les signes d'un ralentissement de l'innovation chez de nombreux acteurs. Les années 80 furent les années de la segmentation à outrance et d'innombrables lancements de "me-too products", des produits imitant les leaders, en n'apportant pas de bénéfice consommateur significatif.

Évoquer les différentes pistes de l'innovation dépasserait le cadre de cet ouvrage. Aussi utiliserons-nous l'image suivante pour aider le lecteur à stimuler sa créativité :

Imaginez une boîte.
Dans cette boîte, il y a le produit, réduit aux seules caractéristiques physiques, qui permettent de le nommer... et de l'utiliser : habitacle, roues, moteur, sièges... pour une automobile ou carte-mère, disque dur, moniteur, clavier et souris pour un PC.

Enfermez ce produit dans une boîte plus grande.
Dans cette seconde boîte, on trouve tout ce qui doit nécessairement accompagner le produit en question du point de vue du consommateur : distribution locale, rapidité des réparations, garantie, financement... Ce sont les attentes normales du client.
Il est nécessaire d'en passer par là pour participer à la compétition sur le marché.

Enfin, dessinez une troisième boîte, qui réunit l'ensemble des possibilités, c'est-à-dire une foule de choses que le client n'attend pas vraiment, auxquelles il n'a peut être jamais songé. C'est dans cette troisième boîte que les marchés se gagnent ou se perdent.

---

* La 3e pomme. Micro-informatique et révolution culturelle. Jean-Louis Gassée, op. cit. page 10.

"Un produit nouveau ne peut conquérir son marché que si les jouissances que procure son usage sont supérieures au sacrifice que représente son acquisition*."

D. Du produit aux services

L'élargissement de l'offre produit d'un fabricant à une offre globale incluant des services n'est pas récente. Depuis longtemps déjà, les constructeurs automobiles proposent une garantie constructeur, un Service Après Vente, un service Entretien, mais aussi de multiples formules de financement, des prestations d'assistance...

En revanche, le glissement de la compétition vers les services et une certaine dévalorisation du produit physique, est un phénomène récent.
Quelques exemples :
Observons le marché de la téléphonie mobile. Les opérateurs de téléphonie mobile (Itinéris, SFR et Bouygues Telecom en France) se livrent une compétition acharnée sur les prix certes, mais aussi sur la diversité et la qualité des services offerts : possibilité d'utiliser son portable à l'étranger, accès à la réservation de taxis, ou de restaurants, de places de spectacles ou de cinéma...
Comble d'ironie, lors de la signature d'un contrat de 12 mois, l'appareil téléphonique est soit offert, soit vendu à un prix très éloigné de son prix de vente habituel au détail.

Aux États-Unis, certains opérateurs Internet envisagent d'"offrir" un PC d'entrée de gamme au client qui souscrirait un abonnement d'au moins 24 mois.

En France, Renault et Peugeot lancent chacun leur formule d'Assistance... à destination de tous les automobilistes clients ou non de la marque... et tentent de regagner le terrain perdu par leurs concessionnaires sur le marché de l'entretien, de la vidange et petites réparations face à Speedy, Midas, Lubexpress, aux Centres d'entretien des grandes surfaces ou aux stations-services des pétroliers...

Le distributeur spécialisé Boulanger, en concurrence avec les autres distributeurs spécialisés (Fnac, Darty...) et les grandes surfaces alimentaires (Carrefour, Auchan, Leclerc...) propose à ses clients de devenir "Client partenaire", avec à la clef un certain nombre de "privilèges" : remboursement spontané jusqu'à 45 jours, chéquier Privilèges, livraison gratuite, installation des magnétoscopes à domicile, ligne directe SAV Partenaire...

Help ! est le titre d'une chanson des Beatles. Tous se passe aujourd'hui comme si la clef du succès sur de nombreux marchés, était justement de répondre à ce désir d'aide, d'assistance, de sécurité des consommateurs, en inventant de nouveaux services.

On notera également le développement rapide des services touchant à l'information, l'éducation, le divertissement. Ce développement s'appuyant principalement sur les médias numériques, et notamment l'Internet, il sera abordé dans le paragraphe suivant.

* in La 3e pomme. Micro-informatique et révolution culturelle. Jean-Louis Gassée, op. cit. page 10.

E. Ce qui change avec la révolution numérique et l'Internet

Les concepts de différenciation retardée, de sur-mesure de masse et de fabrication à la demande sont fréquemment mis en œuvre sur Internet.

Un exemple dans l'univers des produits

L'entreprise Pacific Concept est spécialisée dans la fabrication de montres comme cadeaux d'entreprise. Au lieu de commercialiser une production de modèles standards, par des moyens de commercialisation traditionnels, elle a investi dans un site Internet*.
Le client souhaitant s'informer sur l'offre de Pacific Concept se connecte sur le site, et découvre un écran divisé en trois parties.
À droite : la liste des éléments composant une montre : remontoir, aiguille, fond de montre, couronne, bracelet...
Au milieu, s'affichent tous les modèles de l'item que le client vient de cliquer : par exemple tous les types d'aiguilles, afin qu'il puisse faire son choix.
À gauche, une feuille blanche, sur laquelle le client glisse les éléments qu'ils préfèrent. En quelques minutes, et après autant de simulations qu'il le désire, le client aura dessiné la montre de son choix. Luxe ultime, il peut même "copier-coller" le logo de sa société par exemple au centre de la montre, pour peu qu'il l'ait numérisé auparavant.
Il précisera ensuite le volume de sa commande, le délai de livraison souhaité, indiquera le type de transport qu'il est prêt à payer et son mode de paiement.
La fabrication, ou devrait-on plutôt dire l'assemblage, sera lancé dans les heures qui suivent l'acceptation du devis.

L'apport de l'Internet se situe essentiellement au niveau commercial.
Pour l'entreprise :
- il est moins coûteux que les moyens de commercialisation traditionnels,
- il permet d'accéder à des clients dans le monde entier,
- il implique le client dans la conception du produit, d'où un personnalisation de l'offre et une satisfaction supérieure.

Pour le client :
- il accède à l'offre du fabricant à toute heure, depuis tout point du globe, pour le prix d'une communication locale,
- il définit lui-même le produit qu'il désire.

Cet exemple est bien évidemment généralisable dans de multiples domaines d'activité.

Un exemple dans le domaine des services

L'idée de base est celle d'une information sur-mesure à laquelle l'internaute peut accéder de deux manières :
- soit en allant la chercher sur un ou plusieurs sites Internet,
- soit en la recevant directement dans sa boîte aux lettres électronique.

La première démarche est dénommée **"Pull"**.
L'internaute va sur la page d'accueil d'un prestataire de service, que celui-ci a "personnalisé" en fonction des centres d'intérêts exprimés par le client ou en fonction des comportements

* http ://www.pacificconcepts.com/

antérieurs du client (pages visitées, produits commandés...) observés lors des précédentes consultations.

On imagine sans peine que des entreprises de ventes "généralistes", comme La Redoute ou les 3 Suisses, ou spécialisées (dans les ventes de disques, livres ou vidéos par exemples) soient intéressées par la mise en œuvre de tels systèmes.

Dans le domaine du business, la société Federal Express donne à ses clients la possibilité depuis déjà quelques années de suivre la trace en temps réel des colis qu'ils ont expédiés, et ce via internet.
Le client bénéficie d'un service plus accessible et moins coûteux que les traditionnels centres d'appels, et Fedex rend ce service à un coût nettement moins élevé qu'en employant des centaines de télé-opératrices.

On imagine sans peine de multiples applications tant dans le domaine de l'avant-vente (information du client, aide à la prise de commande...) que de l'après-vente (suivi client, support technique, dépannage...)

La deuxième démarche est dénommée **"Push"**.
Elle consiste à envoyer automatiquement dans la boîte aux lettres électronique de l'internaute l'information susceptible de l'intéresser.
Le lecteur curieux pourra par exemple aller sur le site Web de Nouvelles Frontières, et cliquer sur les destinations au sujet desquelles il veut être informé des dernières promotions. Une fois par semaine, il recevra ces informations par Internet.
DegrifTour envoie à tout internaute qui le demande, deux fois par jour, la liste des "super - promotions".

Le transport des octets coûtant infiniment moins cher que le transport des atomes, il est intellectuellement et économiquement enrichissant de réfléchir sur des services basés sur le transfert de fichiers informatiques plutôt que sur le transport d'objets physiques.
On peut s'attendre à une explosion du marché des services informationnels : éducation, divertissement, information... dès que les solutions de sécurisation de paiement et de cryptographie pour garantir le paiement des droits d'auteur et éviter le piratage seront suffisamment répandues.

Les prix

Comme pour la politique produits, les changements qui affectent la politique de prix vont dans le sens d'une personnalisation et d'une flexibilité accrue.

A. Les trois schémas classiques de fixation des prix

Résumons rapidement les points clefs de l'approche classique en terme de politique produits. Le lecteur soucieux d'aller plus loin, par curiosité ou par souci de rafraîchir sa mémoire, consultera avec profit les ouvrages de base bien connus*.

* Marketing Management. Philip Kotler, Bernard Dubois. op. cit. page 13.
et Mercator. Théorie et pratique du marketing. Jacques Lendrevie, Denis Lindon, Dalloz, 5e édition, 1997.

Le lien avec la stratégie de l'entreprise

Selon Porter[1], une entreprise peut choisir entre deux types de stratégie génériques pour dégager un avantage concurrentiel : la différenciation de l'offre par la valeur ajoutée (Saab, Volvo, Apple...), ou la domination par les coûts (Samsung 1re période...). Il est clair que ce choix stratégique a une influence directe sur la fixation des prix.

La relation prix-qualité

L'idée simple est de vendre plus cher un produit de meilleure qualité et vice-versa. Les différentes alternatives qui s'offrent au responsable marketing sont résumées dans ce tableau :

***Le modèle classique de base*[2]**

Qualité de l'offre/Prix	Prix plus élevé	Prix plus bas
Valeur plus élevée	Vendre la valeur ajoutée : "Prix valeur"	Prix concurrentiel "Prix cible" Nécessité d'une gestion des coûts
Valeur plus faible	Suicide	Sans artifice. Offre dénudée

Trois approches sont utilisées pour déterminer le prix de vente d'un produit.

Approche 1 : Fixation des prix à partir des coûts :

Historiquement, c'es la méthode utilisée la plus ancienne. Dans le courant des années 60, c'était même la méthode la plus couramment utilisée par les entreprises françaises.

- **Fixation des prix à partir du coût complet**

  On applique au coût complet du produit un coefficient multiplicateur :
  Prix = coût complet × coefficient multiplicateur.

- **Fixation des prix à partir de la contribution**

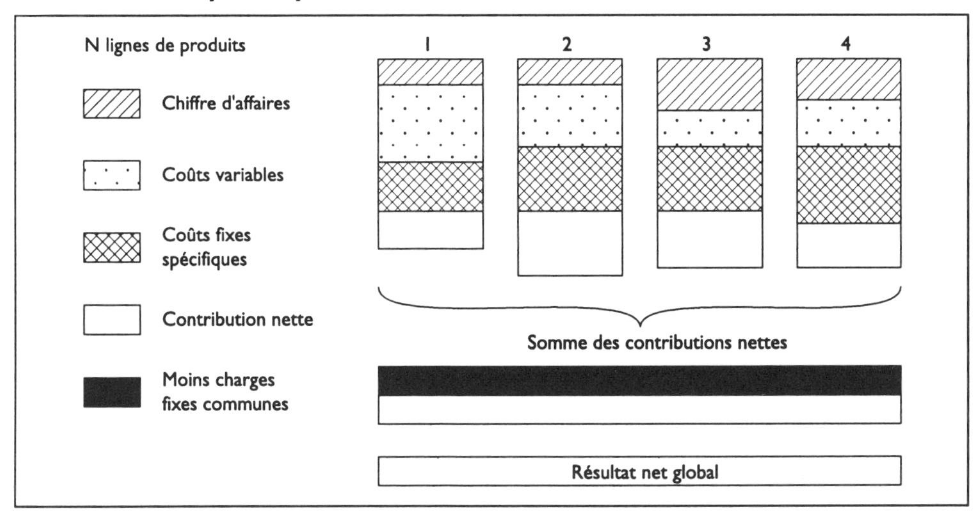

[1] *L'avantage concurrentiel des nations*, Michael Porter, op. cit. page 69.
[2] in *Questions de prix*, Christian Dussart, Décisions Marketing n° 6, septembre 1995.

Connaître la contribution de chaque produit à la couverture des charges fixes communes est indispensable, avant de prendre toute décision de modification de prix, en réponse par exemple à une action de la concurrence.

- **Fixation des prix en fonction des paramètres coût/volume/prix**

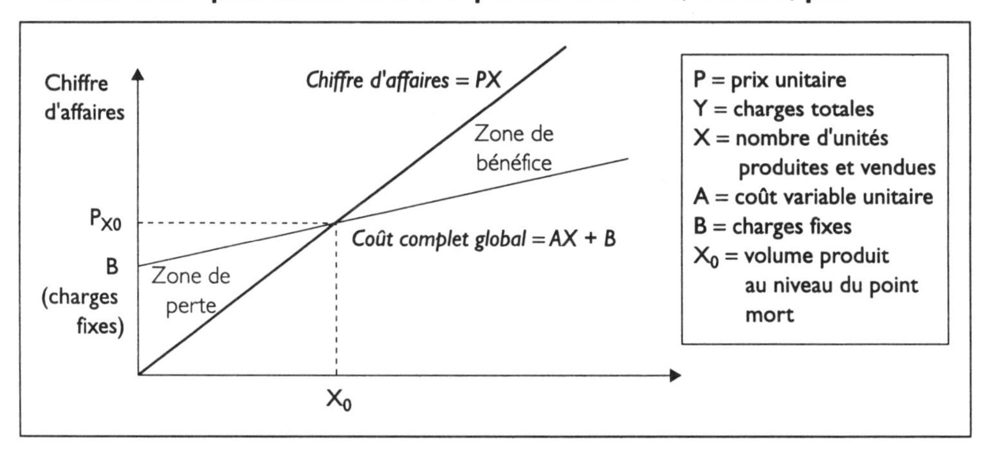

Si l'entreprise fabrique et vend X produits au prix P_0, elle est au point mort.
Le point mort est la situation dans laquelle l'entreprise ne réalise ni bénéfice, ni perte.

Ces trois méthodes de fixation des prix à partir des coûts ont un commun un défaut rédhibitoire : elles ne tiennent pas compte ni du prix que le consommateur est prêt à payer pour le produit ou le service, ni du positionnement des offres de la concurrence.

Approche 2 : La fixation du prix à partir de la demande

La première notion est celle d'élasticité des ventes par rapport au prix. Quelle va être la variation relative des ventes de l'entreprise, selon la décision de modification de prix ?

Dans des marchés "stables", ou à évolution régulière, il est possible d'utiliser des méthodes statistiques, à partir de séries chronologiques. Mais de nombreux marchés sont aujourd'hui instables, très réactifs et difficilement prévisibles.
Tout comme il est difficile de conduire son automobile en regardant dans son rétroviseur, il est de plus en difficile d'estimer ses ventes futures en regardant le passé.

Force est de reconnaître que la réponse à cette question n'est souvent connue qu'a posteriori, dans certains cas après avoir essayé plusieurs hypothèses sur des marchés tests, ou lancer des enquêtes auprès d'acheteurs potentiels, ou plus souvent, après avoir pris la décision sur le marché réel.

La deuxième technique utilisée est celle de la détermination d'un prix minimum et d'un prix maximum.
Un sondage est effectué auprès d'un échantillon représentatif de la population visée. Deux questions sont posées :
"À partir de quel prix, trouveriez-vous ce produit trop cher ?"
" En deçà de quel prix, auriez-vous peur que ce produit soit de mauvaise qualité ?"

Il est ensuite aisé d'élaborer un tableau faisant apparaître les seuils d'acceptabilité à chaque niveau de prix.

Ce procédé se révèle utile lorsque l'on s'apprête à lancer un nouveau produit peu connu des clients potentiels et présentant un niveau de risque élevé (financier, physique, sociologique...) pour l'éventuel acheteur. Il permet d'estimer assez bien les variations *relatives* de la demande. Mais c'est un très mauvais indicateur de la demande potentielle en valeur absolue.

Ses principales limites sont bien connues :
- c'est un "test de laboratoire", qui peut entraîner des résultats différents de ce qui serait observé en situation réelle d'achat ;
- il indique le poids des blocages que peuvent provoquer chez des acheteurs certains niveaux de prix, mais il n'indique par les intentions d'achat ;
- il suppose la stabilité de l'attitude des répondants... ce qui est peu probable, car tous les efforts de l'entreprise (communication, distribution, actions de la force de vente...) ont pour objet d'augmenter la valeur perçue du produit, malgré la pression des concurrents.

Approche 3 : La fixation des prix à partir de la concurrence

Après avoir identifié par segments de marché les concurrents directs de l'entreprise, mesuré le niveau de prix auxquels ils se situent, le responsable marketing décide du niveau de prix auquel il va situer son offre en fonction de plusieurs dimensions :
- estimation de la structure actuelle de coûts des concurrents (par rapport à sa propre structure de coût) ;
- impact d'éventuelles économies d'échelle ou de l'effet d'expérience sur les coûts à venir des différents protagonistes ;
- choix stratégiques des différents acteurs : stratégie de guerre (domination, pénétration de marché) ou de paix (stratégie de spécialisation, recherche d'indépendance, possibilités "d'ententes"...).

B. Particularités des décisions de fixation des prix

Une décision de baisse (ou de hausse) de prix peut être mise en œuvre dans les heures qui suivent la prise de décision contrairement aux décisions sur les autres variables du mix (produit, communication, distribution). Ce qui est vrai pour une entreprise est également vrai pour ses concurrents... Donc, une décision en terme de prix peut être contrée par un concurrent très rapidement, à condition que son image de marque et sa structure de coûts le lui permettent.

L'avantage que l'on aura cru obtenir en jouant sur cette variable risque donc d'être éphémère.

Un producteur peut fixer son prix de vente au distributeur, mais ne peut imposer au distributeur, à de rares exceptions près*, le prix de vente au client final. Un producteur, qui commercialise ses produits et services par un intermédiaire, ne maîtrise donc pas totalement la variable prix. La situation est évidemment différente, si l'entreprise vend en direct auprès du client final (ordinateurs Dell et Gateway, France Telecom...).

---

* laboratoires pharmaceutiques pour les médicaments, éditeurs de journaux et de livres, compagnie d'assurances, fabricants de cigarettes...

Les poins clés de l'environnement légal

Si la France s'est distinguée par le maintien d'un contrôle des prix par les pouvoirs publics pendant de longues années, le principe de base est désormais la liberté des prix[1]. La régulation se fait par la concurrence et non par l'intervention du pouvoir politico-administratif.
Quelques restrictions réduisent dans certains cas cette liberté :
- dans certains secteurs les prix sont toujours contrôlés par les pouvoirs publics : médicaments remboursés par la Sécurité sociale, tarifs des transports en commun et des taxis...
- l'interdiction, pour les distributeurs, de la vente à perte. Clairement exprimée dans l'ordonnance de 1986, elle est clarifiée et renforcée par la loi Galland[2].

C. La nécessité d'une nouvelle approche

La variable prix était d'un maniement plutôt simple dans les périodes précédentes, notamment en France, où les prix ont été longtemps réglementés. D'une année sur l'autre, les fabricants et les distributeurs augmentaient leurs tarifs en se basant sur une estimation du coût d'inflation, anticipant ainsi la hausse probable de leurs coûts, notamment les coûts salariaux.

Cette époque est révolue.
Toutes les enquêtes mettent en évidence que le prix est une variable très importante pour les entreprises.

Rappelons les mutations principales de l'environnement, qui expliquent l'importance croissante de cette variable :
- l'ouverture des marchés mondiaux,
- la création de grands blocs économiques comme l'Union Européenne ou l'Alena,
- la mise place de l'euro,
- un climat d'hyperconcurrence,
- un consommateur moins à la recherche du "juste prix", qu'exigeant un "moindre prix",
- une certaine perte de crédibilité de la notion de prix,
- un capital "produit-marque" mis à mal face au prix.

Dans ce nouvel environnement, les approches, les méthodes, les outils utilisés durant les trente années précédentes ne sont plus adaptés.

L'émergence d'une nouvelle alternative stratégique :

Au niveau de l'approche stratégique, Porter avait clairement décrit les deux stratégies génériques envisageables par toute entreprise :
- **la stratégie de différenciation**, qui consiste à construire une offre différente de celle des concurrents, et apportant au consommateur une valeur perçue supérieure. Cette valeur supérieure justifie la sur-tarification de l'offre. La sur-tarification est à la fois le signe et l'un des éléments contribuant à la construction de cette valeur perçue supérieure.

[1] Ordonnance du 1/12/1986.

[2] Voir paragraphe sur la distribution.

– **la stratégie de domination par les coûts :** l'avantage concurrentiel est ici obtenu par des coûts significativement et durablement inférieurs à ceux de la concurrence. Ce qui permet à l'entreprise de pratiquer des tarifs très agressifs tout en assurant la rentabilité de la firme, que certains concurrents, dont la structure de coûts serait plus défavorable, qualifient parfois de pratique de dumping.

Les années 90 voient apparaître une troisième voie, une nouvelle alternative stratégique. Il s'agit de jouer en même temps la différenciation de l'offre par la valeur ajoutée et celle du maintien des coûts bas.
Ce qui peut imposer quelques révisions déchirantes, voire dramatiques. On peut évoquer Apple licenciant en quelques années plusieurs milliers de personnes, soit plus de 30 % de son effectif, ou le cas du laboratoire pharmaceutique produisant le Clamoxyl, antibiotique très connu qui a réduit son prix de 20 %, pour prévenir l'arrivée des médicaments génériques.

Le modèle classique "vendre plus cher un produit de meilleure qualité" est remplacé par "vendre un produit de haute qualité à un prix d'appel, voire de masse". Le célèbre slogan de la Clio de Renault "que reste-t-il aux grandes" illustre bien le défi de la fin des années 90 : réduire les coûts et accroître la valeur ajoutée perçue des produits et services.

D. Les nouvelles méthodes de détermination des prix[1]

On distingue deux grandes familles de détermination des prix : celle qui est plutôt orientée vers le consommateur et la valeur qu'il attribue au produit, et celle centrée sur la concurrence.

La méthode du "prix valeur"

Il s'agit de capter la valeur perçue par le client (et non par l'entreprise) pour justifier ultérieurement une sur-tarification éventuelle. Les limites de cette approche sont liées aux évolutions récentes du comportement des consommateurs. Ils s'attendent à des prix bas, même sur des offres à valeur ajoutée réelle. La seule affirmation de la marque ne suffit plus à justifier la sur-tarification : il faut "s'abaisser" à démontrer la supériorité de l'offre. Le responsable marketing sera particulièrement vigilant sur les résultats des "tests aveugles[2]" ou "blind tests" menés auprès de consommateurs, à la conception des emballages des produits, à la construction des argumentaires destinés aux commerciaux, aux réclamations des clients, et aux retours en service après vente.

La méthode des "coûts cibles"

L'idée est de maîtriser les coûts dès la conception. 80 % du prix de revient final d'un produit est déterminé par les décisions prises au moment de la conception. Le principe est de

[1] Pour une analyse plus détaillée : *Question de prix*, Christian Dussart, Décisions Marketing, n° 6. septembre-décembre 1995.
[2] Un "blind test" consiste à faire essayer un produit à des consommateurs, sans que ceux-ci puissent identifier la marque.

définir le coût optimal des composants d'un nouveau produit en hiérarchisant les fonctions qu'ils remplissent, du point de vue du consommateur.

La méthode du prix cible

Dans un premier temps, les responsables de l'entreprise "visent une offre concurrente" qui rencontre du succès sur le marché. Puis, ils dressent la liste des fonctions et prestations à atteindre ; ils décident ensuite de mettre la barre à un niveau plus élevé en proposant des fonctions et prestations supplémentaires.

Le prix de détail est fixé en proposant une réduction significative (par exemple moins 20 %). L'étape suivante consiste à remonter dans les coûts pour assurer à la rentabilité de l'entreprise.

Cette approche est clairement concurrentielle, puisque les responsables du projet privilégient la prise en compte de l'offre des concurrents, plutôt que les besoins et attentes des consommateurs.

Si l'étude classique des prix psychologiques évoquée précédemment, est une approche purement réactive (le prototype est l'objet de recherche lors du test de prix), la méthode du prix cible est proactive, puisqu'elle intervient au moment de la définition du cahier des charges.

La "théorie de la crémaillère"*

Le produit à bas prix fait-il concurrence au produit dont le prix de vente est nettement plus élevé ? De nombreuses études menées analysant les informations contenues dans les banques de données scannérisées de la grande distribution ont amené à la formulation de la "théorie de la crémaillère".

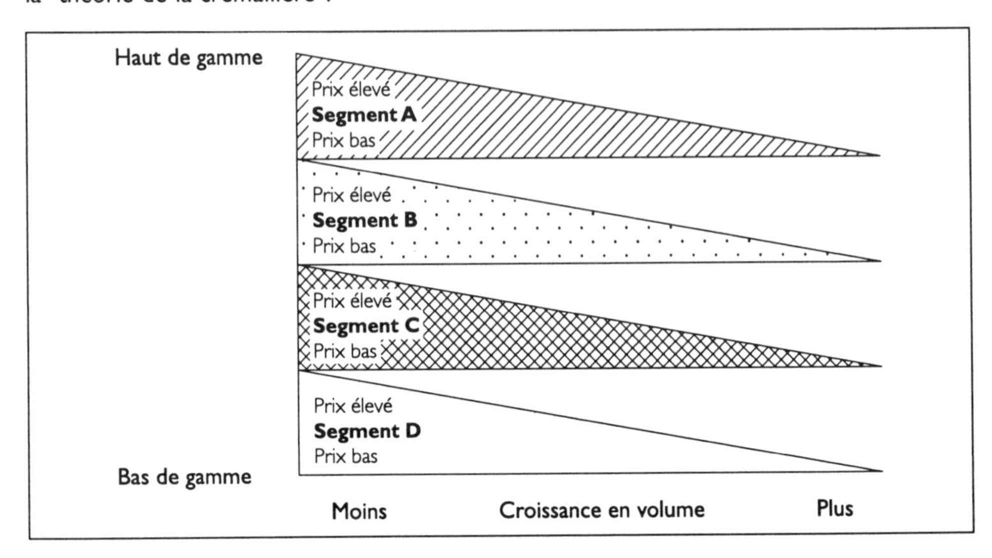

* in Décisions Marketing n° 6, septembre-décembre 1995.

Une offre de bas de gamme n'est pas en concurrence directe avec une offre de haut de gamme.
Les grandes marques ne sont pas concurrencées directement par les premiers prix, mais par les prix les plus bas du segment de marché sur lequel elles se positionnent.
Il faut néanmoins prendre garde à l'effet psychologique du multiplicateur : le client accepte-t-il de payer trois ou quatre fois plus cher le produit haut de gamme, par rapport au produit "premier prix" ?

E. Impact des technologies numériques

Nous avons déjà évoqué le fait que sur les réseaux informatiques, comme l'Internet, la transmission d'octets avait un coût marginal et indépendant de la distance. Ce qui rend possible des opérations intéressantes sur la variable prix.

Dès mars 1996, Jean-Louis Gassée décrivait ce qui commence à se mettre en place en cette fin de XXe siècle.

"Un millième de millionième de millionième de centime, 10^{-17} franc si vous préférez. J'exagère un peu, mais ce qui m'excite le plus dans l'avenir du cybercommerce est la possibilité de transactions en infimes fractions de nos unités monétaires actuelles.
C'est bien plus intéressant encore que l'utilisation du Net pour remplacer chèques, virements et autres moyens de règlement classiques"*.

La cryptographie, en protégeant les fichiers informatiques circulant sur l'Internet, associée à la possibilité de facturer, de manière économiquement rentable, de très faibles montants unitaires, ouvre des marchés pour les créations intellectuelles et artistiques.

On peut imaginer la distribution de musique à la carte. Vous choisissez les morceaux qui vous plaisent sur le site Web de Virgin, vous acquittez votre dîme grâce à votre porte-monnaie électronique, et téléchargez les morceaux de votre choix par une liaison à haut débit (câble, satellite ou Numéris), puis gravez votre propre CD-ROM.
Compte-tenu de la structure de coût de ce type de distribution, on peut parier qu'à terme, les prix soient très compétitifs.

On peut raisonnablement penser que des nouveaux acteurs apparaîtront pour diffuser leurs créations intellectuelles, artistiques : dessins, astuces et conseils divers, mémoires, exercices et leurs corrigés...

F. Quelques innovations remarquables

De nombreuses innovations sont apparues ces derniers mois. Leur intérêt réside dans le fait qu'elles peuvent être appliquées au commerce de nombreux produits et services.

---

* in *Le centime, avenir du cybercommerce*. Supplément multimédia de Libération ; 1/03/96

Les modalités de paiement des services d'information, d'éducation et de divertissement

• Les différents types de tarification

– tarification forfaitaire indépendante de la consommation : Canal +
– paiement en fonction du service consommé :
  – Pay per view de Canalsatellite (par prélèvement ou via carte de crédit)
  – micro-facturation au moyen d'un porte-monnaie électronique
– paiement au temps : c'est le modèle du Minitel, avec prélèvement sur la facture téléphonique et rétrocession par France Telecom à l'éditeur du service.

• Le fonctionnement d'un système de paiement sécurisé : l'exemple de Kleline

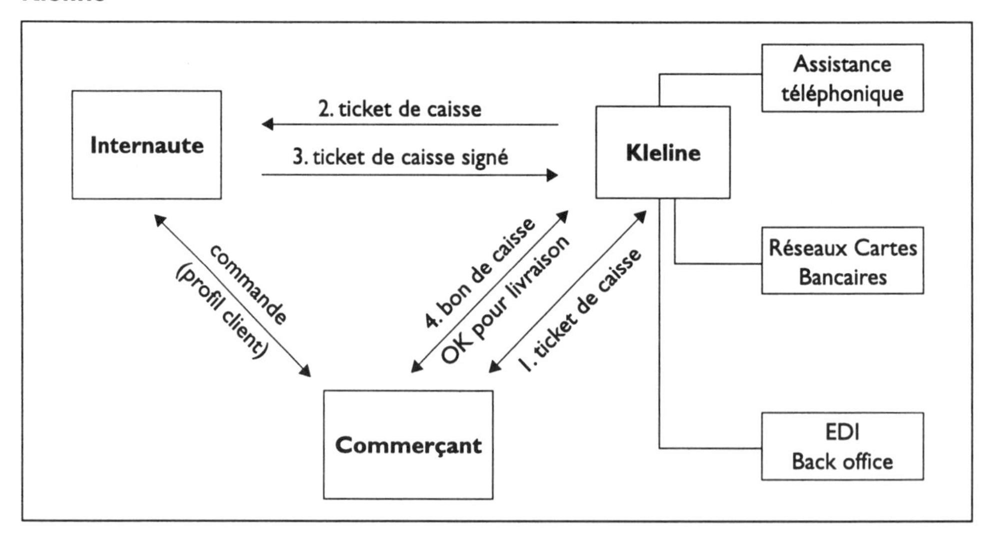

Les innovations des formules financières

De nombreux distributeurs, en s'appuyant sur des sociétés financières comme Cofinoga ou Cetelem ont mis en place des cartes mono-enseignes ou multi-enseignes proposant des avantages spécifiques aux clients, dans le but de les fidéliser (et d'éviter ainsi des rencontres trop frontales avec les concurrents sur le terrain des prix).

L'un des "plus" remarquables est le programme de fidélisation Points Ciel.
C'est un programme de fidélisation multi-enseignes (non liées capitalistiquement) qui regroupe début 1997 1,2 millions d'adhérents, soit 4 % des foyers français et s'impose donc comme le premier programme de fidélisation en France*.
Entreprises participant : BHV, groupe Casino, Cofinoga, groupe Galeries Lafayette, Monoprix, Avis, Prénatal, Total, Déménageurs Bretons, Domoservices... et plus 1 400 commerces de centre ville.

Mais les innovations viennent également des fabricants, et notamment des constructeurs automobiles.

* in *Marketing Magazine*. Points Ciel, deux ans après. n° 17 - janvier-février 1997.

En l'espace de quelques semaines, Ford et Renault[1] ont lancé une offre qui comprend un engagement de reprise du véhicule au bout de deux ans, ainsi que l'entretien et l'assurance, et ce pour une mensualité connue au moment de la signature.
Pour le client, le cœur du message est "vous avez toujours une voiture neuve".
Pour le constructeur, ce type d'approche permet d'éviter la discussion sur les prix, les inévitables demandes de remise, et surtout permet d'espérer une fidélisation accrue.
Nous verrons dans la partie "Maîtriser" l'intérêt et les limites d'une nouvelle méthode de fixation des prix : "le yield-management" (revenue management).

III La distribution

A. Renouer les liens avec le client

"L'arme qui a permis aux détaillants de faire reculer les grands industriels sur leurs marques de départ n'est autre qu'un petit symbole en noir et blanc[2]... Mais le code à barres n'a pas fait qu'accélérer les opérations de caisse pour des millions de clients, ni qu'améliorer la comptabilité. Il a fait plus : il a entraîné un transfert de pouvoir."[3]

L'avantage des distributeurs vient du fait qu'ils sont au contact des clients. Avec les informations des scanners des caisses, ils collectent des informations comportementales. En développant des cartes privatives (Pass pour Carrefour, ou Privilège pour Leclerc...), ils étudient les réactions de millions de clients, aux diverses offres commerciales, aux variations de présentation en linéaire...

Les marques souffrent d'autant plus de cette absence de relation directe avec les clients, que les autres vecteurs traditionnels ne marchent plus.

Dans les points de vente, les hypermarchés et supermarchés représentent la plus grande partie des ventes. Or dans un hyper, le lien se crée entre le client et l'enseigne de distribution et non avec la marque, dont la représentation en rayon peut être discrète, éphémère et aléatoire.
La publicité ne joue plus correctement ce rôle relationnel. Le consommateur passe moins de temps devant les chaînes généralistes, au profit d'une multitude de chaînes thématiques accessibles par le câble et le satellite. L'audience est fragmentée.
Le risque est également grand de devenir par la seule communication télévisuelle une marque simulacre, cathodique. La publicité d'une certaine manière, fait aussi écran.
Or, comme le souligne Jean-Noël Kapferer, "une marque qui ne peut plus entrer en contact direct avec ses consommateurs est menacée".[4]

---

[1] L'offre 1.2.3.
[2] Le "code à barres", dont la date de naissance officielle est le 3 avril 1973, lorsque le "comité de sélection du symbole" se mit d'accord sur un code unique, valable pour toute la branche.
[3] In *Les nouveaux pouvoirs. Savoir, richesse et violence à la veille du XXI*[e] *siècle.* Alvin Toffler, op. cit. page 80.
[4] In *Quel avenir pour les marques.* Jean-Noël Kapferer in L'Art du Management, op. cit. page 27.

Quelles sont les voies pour (re) trouver ce contact direct avec le consommateur ?

• **La vente par correspondance** : les exemples de Cortal ou de la Banque Directe dans le domaine bancaire, ou d'Yves Rocher dans les produits de beauté démontrent que l'on peut tisser des liens forts sans points de vente. L'Internet, en permettant un contact direct entre producteur et client, tant au niveau de la communication que de la vente et de la distribution est un outil susceptible de permettre une redistribution des cartes dans de nombreux secteurs (voir ci-après).

• **Les réseaux de distribution sélectifs** : le vendeur est un porte-parole chargé de valoriser la marque. On soulignera les résultats remarquables de l'expérience "a shop in a shop" menée depuis 1998 par Apple aux États-Unis en partenariat avec la plus célèbre chaîne de magasins de micro-informatique CompUSA*.

• **Le marketing relationnel** : le lancement d'initiatives pour sortir des magasins et des écrans publicitaires et rencontrer directement les consommateurs. Ce sont les pistes ouvertes par le marketing relationnel. Mais celui-ci nécessite de lourds investissements humains car il implique des centaines ou des milliers de femmes et d'hommes : les relais Nestlé, la force de vente de Ricard, l'animation des clubs de fans... sont autant d'occasions de multiplier les micro-connexions avec le public pour que la marque tisse un lien durable. Les bases de données en rendant possible et économiquement rentable la communication "sur-mesure de masse" constituent un outil remarquable.

B. Développer les partenariats avec les distributeurs

Les cadres et dirigeants formés entre 1960 et le milieu des années 80, ont connu un marketing tourné vers le client. Les autres acteurs n'étaient – pour reprendre la terminologie de l'époque de Kotler – que des "acteurs du micro-environnement". Les moyens d'action de ces responsables : les quatre variables du marketing mix, le produit, le prix, la communication et la distribution. Ce que Kotler définissait comme les variables contrôlables. Or comme le dit la chanson de Bob Dylan : "the times, they're a-changin", et ces variables ne sont plus sous contrôle.
Les distributeurs peuvent influencer la politique de *produit* d'un fabricant, en l'amenant à fabriquer un produit sous marque distributeur, selon le cahier des charges établi par le distributeur (on remarquera à ce propos les progrès réalisés par les distributeurs dans la connaissance des produits et dans leur approche des consommateurs : c'est notamment le cas des centres Leclerc et des "marques repère").
Ils peuvent influencer la *communication* : les fabricants sont "invités" à participer financièrement aux innombrables actions promotionnelles des distributeurs, ce qui diminue d'autant les budgets consacrés à l'entretien du capital marque ou à la construction et l'entretien d'une relation directe avec le client.
Ils ont bien évidemment un rôle clef dans la *distribution* : le fabricant recherche les meilleurs scores de DN (Distribution numérique) et de DV (Distribution Valeur). Si le plan de communication d'un produit ne leur convient pas, si la rotation du produit n'est pas satisfaisante, la sanction du déréférencement tombe rapidement.

* *Cette expérience est décrite de manière détaillée dans le paragraphe suivant.*

Enfin, ce sont eux qui fixent le *prix de vente* du produit au public, en tenant compte un peu, beaucoup ou... pas du tout (voir la pratique des prix d'appel) des préconisations du fabricant.

En France, la loi Galland tente de redonner des degrés de liberté aux producteurs en imposant des règles de facturation plus claires*, en réglementant de manière plus précise la vente à perte, en autorisant le refus de vente, en instaurant des règles pour le référencement et le déréférencement...

Mais les bénéfices escomptés de l'application de cette loi ne sauraient faire oublier les tendances lourdes de la distribution :
- concentration et internationalisation de la distribution
- nouvel envol des marques distributeurs
- diversification accrue vers de nouveaux marchés (voyages, culture, services, informatique, téléphonie, parapharmacie...)

Afin d'éviter ou au moins de contrecarrer la pression accrue sur les prix et la réduction de l'espace attribué aux marques d'industriels en linéaire, les fabricants doivent explorer les voies de partenariat.

Le *trade-marketing* est la première forme de partenariat.

A un premier niveau, c'est un partage équitable d'un profit supplémentaire.
Exemples : adaptation des conditionnements aux enseignes, élaboration de promotions avec certaines enseignes (exemple de Dim et Carrefour)...
Une conception plus large du trade-marketing consiste à rechercher des améliorations logistiques, à améliorer les flux d'information (EDI), à optimiser les rayons grâce à l'information des scanners de caisse, à collaborer sur des actions de merchandising.

Le trade-marketing peut même inclure la fourniture éventuelle de marques distributeurs.

L'expérience "a shop in a shop" menée depuis 1998 par Apple aux États-Unis avec la plus célèbre chaîne de magasins de micro-informatique CompUSA mérite d'être citée comme un bel exemple de partenariat. Quelles sont les caractéristiques de cette expérience ?

La situation d'Apple au niveau de la distribution s'était dégradée pour devenir franchement catastrophique fin 1997. La marque était à la fois peu représentée (quantitativement) et surtout mal représentée (qualitativement). En clair, Apple souffrait d'un manque de visibilité chez les acteurs importants de la distribution micro, et l'expérience vécue par le client à la recherche d'un Macintosh, d'un périphérique ou d'un logiciel était souvent traumatisante en magasin : matériels mal présentés, non-référencement de nombreux produits, disponibilité aléatoire, faible motivation et compétence des commerciaux à vendre un produit différent des PC sous Windows représentant la majorité des ventes.

---

* Les réductions portées sur la facture doivent être réellement acquises. Les services de collaboration commerciale doivent être facturés à part.

Début 98, Steve Jobs a résilié les contrats de tous les distributeurs, puis il a décidé de ne signer qu'avec les distributeurs présentant des garanties au niveau de la qualité du service et surtout il a lancé avec CompUSA le concept du "shop in a shop" : un espace Apple regroupant unités centrales, périphériques, logiciels et vendeurs spécialisés, clairement identifié à l'entrée du magasin. Tout client CompUSA traverse forcément cet espace, même s'il a l'intention d'acheter un PC sous Windows.
Au bout de quelques mois, les ventes d'Apple explosent et passent de 4 à plus de 15 % du chiffre d'affaires de CompUSA.

Avantages pour Apple : une visibilité retrouvée, une qualité de service assurée pour les clients.
Avantages pour CompUSA : les contrats des autres grandes chaînes de distribution étant résiliés, CompUSA devient le seul distributeur national à présenter l'univers Apple. Il est donc un point de rencontre quasi-incontournable pour les fidèles de la marque, et bénéficie également du trafic généré par l'exploitation médiatique musclée de cet accord de partenariat.

Le succès de l'opération conduira probablement Apple au bout d'une période d'une dizaine de mois à signer d'autres partenariats, mais l'avance acquise par CompUSA le positionne fermement en situation de leader.

Au-delà du trade-marketing se développent de nouvelles approches :
L'une des plus prometteuse est l'"**Efficient Consumer Response**" : c'est l'efficacité et la réactivité au service du consommateur. C'est un stratégie industrie-commerce, au travers de laquelle fournisseurs et distributeurs travaillent ensemble pour mieux satisfaire les attentes des consommateurs plus rapidement et au moindre coût. L'ECR couvre quatre domaines : le réapprovisionnement, l'assortiment du magasin, les promotions et les nouveaux produits.
"Comment avoir un linéaire toujours rempli en quantité suffisante, sans sur-stocks et en obtenant les coûts les plus bas possibles ?[1]"

Vers une nouvelle segmentation de la distribution ?

"Sans nier l'intérêt d'une démarche de décrispation, les racines du conflit producteur-distributeur sont ailleurs. Le traitement sur-mesure de la distribution, enseigne par enseigne, équivalent pour le trade de ce qu'est la segmentation des consommateurs, sera insuffisant. C'est à une autre segmentation qu'il faudra bien un jour procéder"[2].

Celle-ci passe par :
– l'épuration de l'offre *au niveau des fabricants*
  • faire le ménage dans le portefeuille de marques,
  • réduire les gammes de produits,
– ne plus chercher a être présent dans tous les points de vente. Cela coûte très cher (et peut-être plus cher que les bénéfices escomptés) en primes de référencement, ristournes

[1] in *L'entreprise étendue : apports de l'Activity Based Costing Application à l'Efficient Consumer Response*, Michel Baldellon, Logistique et Management, vol 4 n° 2, 1996.
[2] In *Quel avenir pour les marques*, Jean-Noël Kapferer in L'Art du Management, op. cit. page 27.

et autres rémunérations directes de la distribution,
– cibler l'offre en fonction de la distribution.

– ne plus segmenter la distribution par la taille du point de vente :
c'est le type d'achat et non le type de consommateur qui fournit la base la plus pertinente pour une segmentation des points de vente alimentaires et de l'offre marchandise qui va avec chacun d'eux.

Le Food Marketing Institute distingue cinq types de courses :
– Le "routine shopping trip" pour les produits de base,
– Le "stock up shopping trip" pour les achats mensuels et le stockage de longue durée (un mois),
– Le "fill-in shopping trip" pour les achats de dernière minute lorsqu'un item manque,
– Le "same day shopping trip" pour des produits que l'on consomme le jour même,
– L'"adventure shopping trip", tourné vers le plaisir et l'expérimentation.

L'ensemble des combinaisons prix-services est loin d'avoir été exploré dans la distribution française.

C. Vers une redistribution des cartes ?

De multiples innovations jaillissent dans l'univers de la distribution. Déjà de nombreuses grandes surfaces se lancent dans la livraison à domicile et de nouvelles approches sont expérimentées dans les pays industrialisés. Ainsi "Streamline propose aux habitants de Boston un service de livraison de produits et services original. Moyennant un droit d'entrée, des équipes de Streamline viennent faire une évaluation des achats habituels de chaque foyer et identifient leurs 125 références de base. Une armoire à compartiments spécialement conçue (du yaourt à la cassette vidéo en passant par le linge du pressing) et dotée d'un code secret est ensuite installée dans leur garage, leur évitant d'être présent au moment de la livraison. Le système aujourd'hui limité à 500 foyers, devrait être élargi puisque selon Andersen Consulting 20 millions de familles américaines sont susceptibles de faire appel à la livraison à domicile d'ici à 2005."*
L'originalité de l'approche tient au fait que le client tient une place centrale ; c'est lui qui détermine les produits référencés. De plus, le système mis en place supprime une contrainte forte des services de livraison à domicile : l'obligation de présence.

Mais au-delà de ces multiples innovations, c'est le développement accéléré de l'Internet qui rend possible une redistribution des cartes.

Le rôle des intermédiaires traditionnels est de proposer produits et services aux consommateurs habitant une zone géographique donnée. Mais que devient la valeur ajoutée de ces intermédiaires quand le consommateur peut :
– acheter ailleurs dans le monde,
– sans bouger de chez lui,
– et se faire livrer le produit à domicile.

* L'œil de Cofinoga : www.cofinoga.com

Depuis avril 1997, les abonnés Internet des réseaux câblés de la Lyonnaise Câble ont accès au service "Paris Music", qui leur permet d'acheter en ligne des morceaux de musique. L'abonné peut choisir dans un catalogue de 600 titres, écouter gratuitement un extrait, puis le télécharger après paiement. Le prix d'un titre varie entre 5 et 25 francs.
Le paiement se fait au moyen du porte-monnaie électronique Klebox. La technologie employée autorise le transfert sur le disque dur de l'acheteur mais rend impossible la copie vers un autre support, afin d'éviter les copies illégales.
La Lyonnaise Câble se positionne ici comme un nouvel intermédiaire, entrant en concurrence avec les circuits de distribution classique.
On peut décrire d'autre scénarios :
- vente directe des chansons de l'artiste à partir de son site Web (Prince a fait une tentative en ce sens),
- vente directe sur le site Web de la maison de disques ou du distributeur existant (Fnac par exemple),
- apparition de cyber-distributeurs spécialisés dans la musique (CD Now...).

La diffusion rapide d'Internet conduit à l'émergence de trois catégories de nouveaux acteurs* :
- des simples magasins ou centres commerciaux électroniques
- des "faiseurs de nouvelle valeur ajoutée"
- des organisateurs de marchés globaux

Les magasins électroniques « traditionnels »

Ce sont des répliques à l'identique du magasin de centre-ville, mais ils libèrent le consommateur des contraintes de temps et d'espace.
Ils sont créés par deux types d'opérateurs :
- des chaînes de distribution traditionnelles, qui veulent élargir leur zone de chalandise locale,
- des nouveaux intervenants, qui n'ont pas de point de vente physique.

Un exemple intéressant est celui du marché du livre aux États-Unis.
Nouveau venu sur le marché, Amazon s'était imposé comme la plus grande librairie virtuelle du monde : 2,5 millions de livres, proposés avec des rabais pouvant atteindre 40 %. Les offres sont personnalisées en fonction des goûts du lecteur.
Réponse en 1997 des poids lourds de la distribution de livres : Borders, numéro 2 du secteur ouvre son site Web, et Barnes and Nobles, numéro 1 mondial de la vente de livres, avec 435 grands magasins, 577 boutiques implantées dans des centres commerciaux, 2,4 milliards de chiffre d'affaires, signe un accord avec AOL, le leader mondial des services en ligne et de l'accès Internet grand-public : un million de titres, des réductions de 20 à 30 %, la possibilité de rechercher un livre par auteur, par mot clé, par titre, par sujet, des conversations en ligne avec les auteurs...

L'issue du combat entre les acteurs traditionnels et les nouveaux venus sera d'autant plus intéressante, que ses enseignements intéresseront d'autres secteurs d'activité.

---

* Pour plus d'informations : *Les intermédiaires sont-ils condamnés.* Jean-Michel Billault. L'Atelier n° 52/53 - octobre 96-janvier 97.

Les « faiseurs de nouvelle valeur ajoutée »

Leur métier est d'apporter un meilleur processus d'achat que le processus traditionnel (déplacement, discussion avec un vendeur...). Ils collaborent souvent avec des intermédiaires traditionnels de la chaîne primaire, qu'ils ne cherchent pas (pour l'instant ?) à éliminer, mais qui leur permettent d'élargir leur clientèle localement, tout en apportant une valeur ajoutée nouvelle à l'acheteur.
L'exemple d'Auto-by-Tel[1] est intéressant. Le consommateur ayant choisi un modèle de véhicule, formule une demande de cotation auprès d'Auto-by-Tel. Celle-ci lui communique les meilleures offres disponibles à proximité de son lieu d'habitation.
L'efficacité et l'efficience du système sont remarquables :
- le client gagne du temps : il évite la tournée des concessions,
- le client gagne de l'argent : il obtient immédiatement des remises significatives,
- l'accès au service d'Auto-by-Tel est gratuit pour lui,
- le concessionnaire évite de payer des vendeurs en contact direct avec des clients qui, zappant de concession en concession, ont statistiquement peu de chances de commander ; il peut également diminuer son budget de publicité traditionnelle. Les devis envoyés par Internet peuvent être rédigés par un "commercial assis" payé au fixe, plutôt que par un vendeur payé à la commission, d'où des économies de personnel substantielles. En moyenne, 60 % des demandes de cotation donnent lieu à une vente en ligne.

Les "organisateurs de marché"[2] :

Leur objectif est de faire rentrer tous les acteurs d'un même marché dans un seul médium : l'Internet. « Tout le monde on line sur la place du marché mondiale ».

IBM, Microsoft, America On Line et France Telecom en France ont ce type d'approche. Ils proposent aux entreprises de venir sur leur plate-forme pour faire du business avec leurs autres clients, mettent en œuvre des opérations visant à fédérer les professionnels d'un même secteur (professionnels du pétrole, fabricants d'électricité...)
Ces grands groupes bénéficiant de réductions importantes chez leurs nombreux fournisseurs, ils peuvent en faire bénéficier « leur communauté ».
Les actions de Marketing direct et le développement des systèmes d'affinité sont les clefs du business sur ces plates-formes.

L'Internet n'est pas neutre d'un point de vue économique. Pour reprendre la métaphore de Jean-Louis Gassée, des barbares (les nouveaux acteurs) vont venir remettre en cause les situations des empereurs (les leaders d'aujourd'hui sur la place de marché traditionnelle).

---

[1] www.autobytel.com

[2] Pour plus d'informations : *Les intermédiaires sont-ils condamnés*. Jean-Michel Billault, op. cit. page 138.

La communication

Comme les autres variables du marketing mix, la communication évolue vers davantage de personnalisation. D'unidirectionnelle, elle devient interactive.

A. Rôle du personnel en contact

Avant d'évoquer les pistes ouvertes par les évolutions technologiques, il est essentiel de rappeler le rôle clef du personnel en contact.
La notion de personnel en contact avec la clientèle dépasse la définition traditionnelle de la force de vente. Elle inclut notamment toutes les personnes impliquées dans l'avant-vente (information, conseil...) et l'après-vente (support technique, service après-vente...)

Dans les entreprises de service, c'est près de 80 % du personnel qui est en contact avec la clientèle. Dans le cas d'entreprises de service à réseau (comme les banques, les grandes surfaces, les chaînes d'hôtel, les stations-service...), ce sont des milliers de collaborateurs qu'il faut savoir former, animer et manager pour que la qualité de service attendue par le client avant la prestation, soit équivalente à la qualité perçue après la prestation.

Malgré le développement des machines automatiques (location de cassettes vidéo, guichets automatiques de banque, distributeurs de carburant...) , et des possibilités d'accès à distance au moyen d'un ordinateur (services bancaires, prestations de voyage...), la tendance observée dans les entreprises est d'augmenter la part des collaborateurs en "front-office" (et donc "exposés" à la clientèle) et parallèlement de diminuer celle des employés en "back-office" (dans des postes non exposés directement aux clients).

B. Pistes pour innover

L'innovation peut éclore dans plusieurs directions :
– sur les sens auxquels la communication fait appel,
– sur le contenu,
– sur le choix des médias utilisés.

Nous présentons des exemples sur ces différents thèmes.

Innover au niveau des sens

Faire appel à l'odorat du consommateur

Si les professionnels de la communication font fréquemment appel à notre vue (spots TV, affichage, Publicité sur le Lieu de Vente), à notre ouïe (qui n'a pas en mémoire la musique qui introduit les spots Dim depuis plusieurs années), au toucher (les sièges en cuir de votre Safrane), rares sont pour l'instant les sollicitations de notre odorat.
Les mailings parfumés :
Avec son catalogue, La Redoute a offert un bouquet dont les destinataires recevaient en avant-première la photo et l'odeur. Techniquement, le procédé est basé sur la microencap-

sulation : des gouttelettes enrobées dans de microscopiques capsules. Le client effleure la papier, le parfum se libère.
Les produits parfumés :
Ils arrivent... Précurseur, Neyret a lancé la première collection de lingerie féminine parfumée. Au-delà du "coup marketing", la plupart des chercheurs sont d'accord pour affirmer que les odeurs ont un rôle de déclencheur pour de nombreux achats d'impulsion.

Innover sur le contenu

• Être créatif pour bénéficier de retombées médiatiques

Des idées simples, peu coûteuses à mettre en œuvre, mais originales sont susceptibles d'attirer l'attention des médias, et de générer des retombées médiatiques, dont la valeur est largement supérieure au faible, voire très faible investissement de départ.

C'est le cas de l'Apple's golden marketing ticket[1] : S'inspirant du film "Willy Wonka and the Chocolate Factory", Apple s'est offert un "coup de communication" générateur de bouche-à-oreille, de retombées presse à faible coût. De quoi s'agit-il ?
Dans le film, Willie cache cinq tickets dorés dans l'usine de chocolat et les envoie à travers le monde : ceux qui détiendront ces tickets gagneront une visite de l'usine secrète de chocolat, et un approvisionnement à vie en chocolat.
Steve Jobs, le co-fondateur et président d'Apple joue avec cette idée : il signe cinq tickets dorés et les place dans les cartons de 5 iMacs[2], un pour chaque continent.
Les gagnants recevront un nouveau Macintosh de leur choix chaque année pendant les 5 années à venir.

• Rompre avec les codes de communication du secteur

P.M.E bordelaise, très présente sur les marchés internationaux, William Pitters est devenu depuis 1964, un acteur incontournable du marché des vins et spiritueux. Le succès de la gamme de vins Malesan est largement dû à une communication axée autour... du sport équestre, ce qui est assez inhabituel dans ce secteur.

Selon Bernard Magrez, patron de l'entreprise, il y a deux manières de communiquer : "La première consiste à ne pas prendre de risque en mettant en avant la qualité des produits d'une manière très banale, donc peu efficace : il faut alors vingt ans pour avoir de la notoriété. La seconde, c'est de s'installer sur des territoires bien différents mais collant au concept forme, santé, vitalité"[3].
Une approche identique propulsera le jus d'orange Waïti à un taux de notoriété proche du leader.

---

[1] News.com. Apple's golden marketing ticket. 12/08/98. www.news.com/news.
[2] Ordinateur très innovant lancé par Apple le 15/08/98. Ce lancement a pour objectif de reconquérir la cible grand-public avec un ordinateur qui ne ressemble à aucun autre, et qui rend la navigation sur le Net réellement accessible à tous. Le jour du lancement, l'action Apple a dépassé les 40 $, alors que 18 mois auparavant, elle stagnait à 12 $. Le iMac s'adresse à l'utilisateur novice, que la technologie embrouille et qui veut juste un ordinateur facile à utiliser et à connecter sur l'Internet pour surfer sur le Web et faire de la messagerie électronique.
[3] In "Bernard Magrez, le french paradoxe", in Revue Vinicole Internationale, Janvier 1997.

• Communiquer autour d'un patrimoine de marque

Nous ne sommes plus dans une société de "consommation", nous entrons dans une société de "connaissance".

L'entreprise peut jouer sur les trois éléments constitutifs du patrimoine de marque :

- le patrimoine "histoire" est celui qu'il faut utiliser en premier. Il intéresse, cautionne, sécurise et apporte une garantie. L'histoire des marques de spiritueux est très importante.
- Le patrimoine "produit" permet de démontrer l'évolution de la production et le précieux savoir-faire artisanal de la marque.
- Le patrimoine "publicité", souvent ignoré, rarement mis en valeur est pourtant le plus ludique et le plus intéressant. Il génère la connaissance et l'adhésion à la marque et se révèle très exploitable.*

Des marques comme Jack Daniels ou Evian, ont conçu leur communication dans cet esprit.

Innover sur les médias utilisés

La technologie met au service du marketing des outils permettant de créer une boucle de rétroaction, qui lie les intérêts des consommateurs et ceux de l'entreprise.

• Utiliser les services modernes de téléphonie pour se rapprocher de ses clients

Proposer à ses clients des Numéros Vert (Azur, Indigo...) rapproche l'entreprise de ses clients. Renault Assistance, La Redoute, America On Line pour ne citer qu'eux ont recours à ces numéros dans le but d'améliorer leur service clients.

Pour le client, la communication peut être gratuite (Numéro Vert), ou l'équivalent du prix d'une communication locale (N° Azur). Ce peut être un numéro unique sur l'ensemble de la France, facilement mémorisable 08 ...., et d'un coût limité (0,99 F TTC la minute).

Outre l'amélioration du service Clients, l'entreprise peut diminuer ses coûts grâce à la flexibilité du système : elle peut répartir les appels en fonction de l'heure et du jour ou de la charge des différents sites de télé-opérateurs.

• Utiliser les possibilités d'interactivité offertes par les nouvelles chaînes de télévision

Ces nouvelles chaînes, accessibles par le câble et le satellite permettent d'expérimenter des formes de communication interactive auprès d'un public ciblé.

Lors du lancement de la Kangoo, Renault a lancé un site de publicité interactive. Les abonnés de TPS ont eu la possibilité d'accéder à un catalogue virtuel de services, d'entrer dans la voiture, de l'observer selon des angles de leur choix, de simuler un plan de financement et de demander à l'essayer. Audi avait déjà testé ce type de service sur Eurosport et Canal Jimmy.

Les publicités interactives vont permettre aux marques de ne plus se contenter d'activer ses fichiers de clients acquis mais d'établir un contact personnalisé et actif avec un grand nombre d'acheteurs potentiels. Il devient possible de mesurer l'efficacité des communications publicitaires quasiment en temps réel et d'affiner ainsi le discours.

---

* in "Spiritueux, développez votre patrimoine de marque !". La Revue des marques, avril 1997.

La communication interactive réconcilie les bénéfices de la communication personnalisée traditionnellement mise en œuvre par la force de vente, les relations publiques (possibilité d'un véritable dialogue, voire création et entretien d'un lien entre la marque et ses clients et prospects, mais générant un coût au contact très élevé) et la communication publicitaire permettant de toucher un grand nombre de contacts avec un message simple unidirectionnel à un coût unitaire faible.

En résumé, la variable "communication", comme la variable "produit" entre dans l'ère du sur-mesure de masse, que nous allons vérifier en décrivant les principaux apports d'Internet.

C. Les apports d'Internet

Il est délicat d'isoler les apports spécifiques d'Internet à la seule variable "Communication", car les apports d'Internet* sont souvent transversaux et concernent toutes les variables du marketing mix.

Nous traiterons donc essentiellement les apports dans le domaine de la communication personnalisée et interactive.

Internet est un nouveau support publicitaire, complémentaire des supports traditionnels utilisés par les entreprises.
- Internet est **multimédia** : il permet de communiquer des images, des vidéos, des sons et des textes sous forme numérique.
- Internet est **interactif**, dans le sens où l'utilisateur peut très facilement en cliquant sur des liens hypertextes naviguer dans une masse d'informations.
- Internet permet une **communication instantanée** entre un très grand nombre d'interlocuteurs, quelle que soit leur localisation géographique.

Enfin la diffusion de cette information est peu coûteuse, puisque basée sur le transport de fichiers informatiques par des réseaux de télécommunications.

Quelles sont les perspectives ouvertes pour la communication marketing ?

Tout d'abord, la communication répond aux critiques émises à l'égard des médias traditionnels : communication unidirectionnelle, souvent bridée au niveau création par les contraintes propres à chaque média (TV, radio, presse, affichage...) et d'un coût d'accès élevé.

Internet, c'est la possibilité de nouvelles approches de la communication dans de nombreux domaines.

1. La marque

• Augmenter sa notoriété

Être présent sur Internet en créant son propre site Web, en se faisant héberger dans une galerie virtuelle ou en passant des accords avec des prestataires de services en ligne comme

---

* Cf les principales promesses du cybermarketing.

AOL (America On Line) permet, pour un coût très raisonnable, de faire connaître sa marque rapidement à un grand nombre d'internautes.
Cela suppose bien évidemment d'informer le public de l'existence du site, en utilisant les outils d'Internet (moteurs de recherche, mailing lists, forums, messagerie électronique) et des méthodes plus classiques : mise en avant de l'adresse du site sur tous les supports traditionnels de communication (plaquettes, fiches produits, papier à lettre, cartes de visites, spots TV, affiches, encarts presse...).

• Améliorer l'image de la marque

Au-delà du simple impact positif sur la notoriété, Internet peut renforcer chez les clients une expérience positive.
Comme le souligne Regis Mc Kenna, "La marque est une expérience virtuelle dérivée de l'expérience du consommateur avec le produit, le service ou la compagnie, et non pas des messages des médias traditionnels. Le développement de la marque nécessite qu'une infrastructure de distribution, de support et de service soit en place quand et où le consommateur le veut. La technologie du temps réel délivre l'expérience de la marque n'importe quand, n'importe où."*

• Créer et animer une communauté électronique

Les communautés ou clubs réunissant des personnes ou des entreprises ayant des centres d'intérêts communs ont toujours existé. Les fabricants suscitent fréquemment la création de ce type de club et tentent ensuite de les faire vivre : si le Club Mickey a animé pendant des années les plages pour le plus grand bonheur de milliers d'enfants, Nintendo et Sega se sont battus plus récemment pour animer leurs clubs d'aficionados.

Internet permet de donner un nouvel élan à l'idée du club de clients ou sympathisants d'une marque.
Pour une entreprise, créer et animer une communauté virtuelle, c'est permettre aux clients de satisfaire leurs besoins relationnels, voire transactionnels.
C'est un levier puissant de fidélisation et un outil précieux pour mieux connaître les besoins et les désirs de la clientèle.
Prenons un exemple dans le domaine bancaire.
Imaginons qu'une banque propose à ses clients d'accéder à des forums thématiques électroniques sur leurs principaux sujets de préoccupation : gérer un budget, financer des projets, préparer son avenir, valoriser ses placements, réaliser un projet immobilier...
Ces forums seraient un lieu de dialogue, d'échange d'informations entre clients, qui communiqueraient par messagerie électronique. Des interventions régulières de collaborateurs de la banque pourraient nourrir en expertise les conversations en cours.
Quels seraient les bénéfices des différents acteurs ?
Le client accéderait à une information plurielle, et trouverait les réponses aux questions financières qu'il se pose. Les réponses sont fournies par d'autres clients et/ou par des experts de la banque.
L'organisme bancaire apporte une valeur supplémentaire au service délivré au client. L'expérience de la marque est améliorée. Le montant financier de l'investissement technologique est raisonnable, les coûts de diffusion faibles.

---

* Real Time, Preparing for the age of the never satisfied consumer. Regis Mc Kenna, op. cit. page 7.

Quels sont les risques ?
La transparence de l'information, l'instantanéité de la communication mettent la pression sur la banque, afin que le niveau de qualité de ses prestations corresponde aux attentes des clients, faute de quoi, le ou les clients mécontents peuvent trouver dans ses forums un tribune pour exprimer leur mécontentement.

2. La mise en valeur de l'offre de produits et/ou de services

Le caractère multimédia d'Internet permet de montrer la valeur de l'offre de l'entreprise, d'éduquer le client sur les produits, les processus de production, les services associés.

Internet permet également au prospect d'assister – en ligne – à une démonstration de votre produit ou service : téléchargement d'une version démo d'un logiciel, consultation de nombreux extraits d'un livre, visite virtuelle d'un appartement, découverte en images de synthèse d'une nouvelle automobile, simulation d'un emprunt, ou bande annonce d'un film.

L'internaute est avide d'informations. L'entreprise a donc intérêt à lui en fournir, sachant qu'elle n'est pas limitée par les contraintes des supports traditionnels (nombre de pages d'une plaquette, taille d'une annonce...).
Ajouter des liens hypertextes, rajouter des pages à un serveur existant, mettre à jour un site alimenté par une base de données sont des opérations relativement simples, et qui apportent une réelle valeur au client, si le concepteur du site veille à préserver la logique de structuration du site, la lisibilité des pages et des temps de chargement acceptables.

3. Une meilleure connaissance du marché

Surveiller les sites Web des concurrents, lire les contributions des utilisateurs dans les forums spécialisés, analyser les requêtes adressées par messagerie électronique au Service Clients ou au Support Technique est éminemment utile pour obtenir un feed-back rapide des clients et pour déceler de nouvelles opportunités de marché.
La rapidité des retours permet de réagir avant de perdre des parts de marché.
Cette information, disponible sous forme numérique, est accessible pour un faible coût. Elle peut même être traitée par des outils d'analyse de données pour fournir au responsable une information synthétique utilisable pour la prise de décision.

4. Une aide à l'animation

Les outils génériques de l'Internet (Web, messagerie électronique, forums, listes de diffusion sont précieux pour implémenter des programmes d'animation et de motivation pour les consommateurs qui participent au support technique ou à des tests de produit.
Ils sont également très utiles pour les commerciaux ou les distributeurs si les informations changent vite (tarifs, caractéristiques des produits, disponibilité...)

5. Un outil promotionnel efficace

Sur une page Web, on peut en quelques clics de souris découvrir un produit, le commander et donner son accord pour le règlement. Ce média favorise plus que tout autre les achats d'impulsion.

Les programmes de promotions à réponse directe ("Vous achetez un produit en ligne, vous en avez un gratuit") régulièrement renouvelés, sont donc promis à un bel avenir.

6. Les clefs du succès

– Fournissez de nombreuses informations aux internautes :
Ce sont de grands consommateurs d'information ("information junkies"). Ce qu'ils veulent, c'est l'information au bout des doigts, instantanément et à jour. N'oubliez pas que les utilisateurs paient chaque minute de surf. Les pages Web surchargées des dernières innovations vidéo et graphiques[1] peuvent être très longues à charger... et décourager à jamais l'internaute de revenir sur votre site.

– Construisez des liens communautaires forts avec les gens qui visitent votre espace.
Ils doivent être traités de manière privilégiée, et vous devez leur donner les moyens de s'exprimer sur votre site, et de communiquer avec les autres internautes.
Les démarches "Push" décrites précédemment[2] permettent d'envoyer automatiquement dans les boîtes aux lettres des informations personnalisées en fonction des demandes.
Apple envoie ainsi régulièrement des informations sur les nouveaux périphériques et les mises à jour de logiciels destinés à son nouvel ordinateur (l'iMac) à tous les internautes qui en font la demande.

– Incorporez des fonctionnalités interactives nombreuses pour les utilisateurs. Si l'internaute apprécie le fait de chercher de l'information sur un site, dont les pages sont bien agencées et l'arborescence logique, il valorisera la possibilité de rechercher directement l'information dans une base de données, à partir de son navigateur. Il obtiendra alors l'information désirée (et uniquement celle-là), sans être obligé de cliquer une quinzaine de fois sur des liens hypertextes.
Des quizz à réponse immédiate aux perspectives ouvertes par la navigation dans des espaces virtuels en trois dimensions, en passant par les multiples possibilités de téléchargement ou de dialogue par messagerie électronique, les occasions d'interactivité sont nombreuses. Il est essentiel d'éviter que le site Web de l'entreprise ressemble "à une plaquette mise sur Internet".

Prévoir l'avenir

Si vos premiers pas vous mènent comme de nombreuses entreprises à mettre en place un serveur Web institutionnel (et des services de base comme la messagerie électronique, les listes de diffusion et les forums), vous vous interrogerez probablement dans quelques mois sur les évolutions de votre système :

– mise en place d'un Intranet[3], dans l'entreprise pour améliorer la productivité commerciale, raccourcir les délais des propositions aux clients, faciliter l'action d'une cellule de télémarketing... grâce à un système d'information plus simple d'accès et d'un coût d'administration faible ;

---

[1] Le World Wide Web est souvent vécu comme le World Wide Wait...

[2] Cf : Comprendre la Politique Produit : ce qui change avec la révolution numérique.

[3] Mise à disposition des technologies d'Internet pour la communication en réseau des collaborateurs de l'entreprise. Concrètement, l'utilisateur se connecte à partir d'une logiciel et donc d'une interface unique : le navigateur (Navigator de Netscape ou Explorer de Microsoft).

– développement d'un Extranet, pour faire des affaires sur l'Internet. Dans le cadre de relations "Business to Business", il s'agit de créer une véritable chaîne de gestion entre les différents acteurs (fournisseurs, distributeurs, intermédiaires divers…) impliqués dans la création de valeur pour le client final ;
– Par ailleurs, la diffusion des solutions de paiement sécurisé* ouvre chaque jour davantage la porte à l'explosion du commerce électronique vers le grand-public.

---

* Gemplus va proposer un nouveau lecteur de carte à puce. Pesant à peine plus de 80 grammes, il sera connecté directement au clavier de l'ordinateur. Selon ses concepteurs, le GCR240 règle en bonne partie les problèmes liés à l'authentification sur le Net. Le code personnel saisi au clavier est directement transmis au lecteur de carte à puce sans transiter par l'ordinateur, ce qui limite les risques de piratage. (La Tribune, 18/08/98, cité dans la revue de presse de l'Atelier, 21/08/98).

MAÎTRISER

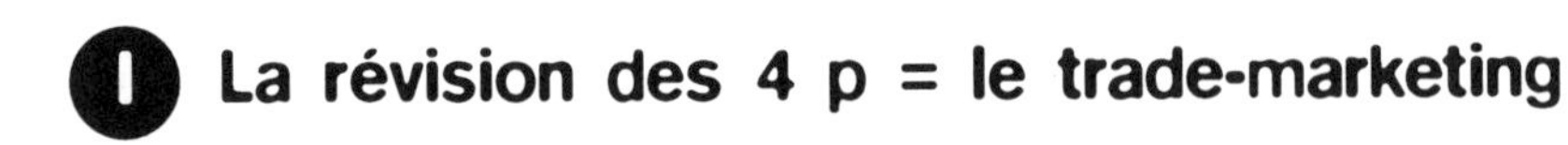

I La révision des 4 p = le trade-marketing

A. Le concept

« Je suis, comme tous les autres, coupable d'avoir accès le marketing sur la transaction. Lorsqu'en 1967, j'ai publié la première édition de mon manuel, l'idée de base était : comment réaliser une vente ? Comment peut-on convaincre quelqu'un d'acheter quelque chose ? En utilisant le marketing mix : produit, prix, distribution, promotion : si vous avez un bon produit, que vous le placez au bon endroit et que votre publicité est bonne, vous le vendez.
Tout tournait autour de la vente et de la transaction. En fait, le champ d'action du marketing est en train de se déplacer ».
Ph. Kotler - Colloque - Paris 1er juillet 1993

Cette critique du modèle des 4 P par son créateur ne peut que nous rassurer. Mais que s'est-il passé ? Vers quoi le marketing s'oriente ? Qu'est-ce que le trade-marketing ?
Nous avons distingué à plusieurs reprises dans cet ouvrage des évolutions et des changements tant sur le plan de l'environnement que de l'entreprise et de ses méthodes, voyons la différence entre le marketing de négoce et le trade-marketing.

Marketing de négoce Standardiser les rapports	**Trade-marketing** Personnaliser les rapports
Centrage sur la transaction	Centrage sur les relations
Centrage sur le produit	Centrage sur le client et ses besoins
Centrage sur la marque	Centrage sur la catégorie de produits
Centrage sur le prix	Centrage sur le service et la valeur ajoutée
Transfert des coûts	Réduction des coûts
Mentalité d'adversaire	Mentalité de partenariat
Profit à court terme	Profit à long terme

La lecture de ce tableau nous montre que nous sommes maintenant face à un marketing relationnel axé sur le consommateur, sur la valeur que celui-ci représente, au lieu d'être centré sur le simple acte de vente. Le client est pris en compte dans une relation, il n'est plus le simple acteur (souvent passif) d'une transaction.

Le trade-marketing a pour objectif d'améliorer les relations fabricants/distributeurs. En effet, celles-ci sont souvent conflictuelles, le distributeur ayant souvent tendance à dicter sa loi. Ils sont pourtant liés l'un à l'autre et doivent pouvoir tirer profit d'une collaboration.

Ce partenariat pourra se traduire par des échanges d'informations, l'adaptation du conditionnement à l'enseigne, le montage d'actions de promotions conjointes. Au-delà d'une simple discussion sur le référencement et les conditions d'achat, le trade-marketing peut obtenir une stratégie globale d'un industriel qui va adapter son marketing à chaque enseigne. Les enseignes de ce fait (tout en préservant leurs marges) peuvent améliorer leur offre produit et donc leur image auprès du consommateur. Pour mener à bien cette approche, l'industriel devra établir une monographie de l'enseigne afin de mieux cerner quelle est sa politique commerciale et financière, son organisation, ses points faibles et ses points forts ; ensuite, il devra élaborer un plan opérationnel fixant avec chaque enseigne les actions prévues ainsi que leur budget.

Sur quels points doivent porter les actions de partenariat, quelles variables doivent être prises en compte par le trade-marketing mix. Ces variables seront mémorisées par le terme BLIMP.

B. Le BLIMP

B comme **Brand** = La marque, car tout commence avec la marque conçue et commercialisée par l'entreprise afin d'optimiser l'équation : (distributeur à forte image + fabricant star) afin d'apporter une double caution au client cible.

L comme **Logistique**

Car c'est un des objectifs du trade-marketing que de créer une logistique efficace pour réduire les coûts.

I comme **Information**

Il faut mettre en place un système d'information qui permette de suivre le marché grâce à des informations fiables en temps réel.

L'EDI (Echange de Données Informatisées) et le scanning (traitement des données obtenues par lecture optique des codes à barres) sont deux outils qui contribuent à l'amélioration du traitement et de la circulation de l'information.

M comme **Merchandising**

Une bonne approche en commun du merchandising se traduit par une augmentation des ventes et une économie sur les stocks.

P comme **Promotion**

C'est l'outil qui englobe toutes les actions menées par l'entreprise et le distributeur pour que le consommateur s'intéresse au produit.

Le trade-marketing doit entraîner un changement de mentalité en France, il est encore loin d'être considéré comme un partenariat à part entière, mais plutôt comme une forme de négociation commerciale. Pour reprendre la terminologie de Jean-Jacques Lambin (université de Louvain-la-Neuve), le trade-marketing doit devenir la rencontre du marketing aval des fabricants et du marketing amont des distributeurs.

Nouvelle approche de fixation des prix : le revenue management

A. Le concept

Cette méthode plus connue sous le terme de « Yield management » a été francisée sous le terme de « revenue management » (avec un « e » à « revenu » pour lui garder son origine si ce n'est sa phonétique américaine, la traduction française serait plutôt « tarification flexible »).
Les démarches traditionnelles de fixation des prix peuvent être classées en plusieurs catégories :
- en fonction du prix de revient,
- en fonction de la concurrence,
- en fonction d'un mix de vente moyen observé sur le marché,
- en fonction de l'acceptation du marché (prix psychologique et prix économique) qui consiste à fixer un prix en vue d'optimiser les ventes.

En 1978, la dérégulation du transport aérien au USA vit naître des compagnies aériennes discount. Les grandes entreprises ont alors dû réfléchir sur leur politique tarifaire pour éviter une trop grande évasion de clientèle, et c'est ainsi qu'est né le revenue management. Ces dernières années, d'autres secteurs d'activité ont commencé à adopter cette méthode, les grandes chaînes hôtelières, les sociétés de location de voitures. Presque toutes les entreprises, quel que soit leur secteur, appliquent une politique de prix différenciés : soldes après les fêtes, tarif jeune, campagne de promotion, bons de réductions... En ce sens, elles pratiquent une forme de revenue management mais souvent de manière intuitive. L'objectif d'une pratique consciente du revenue management consiste à améliorer ces techniques afin de rationaliser la politique de prix pour maximiser les recettes. Le prix n'est plus fixé mais va s'adapter au client et au moment de la transaction, la tarification devient flexible.
Par simplification, considérons une courbe de réponse de la demande du prix (plus le prix est élevé plus la demande baisse).

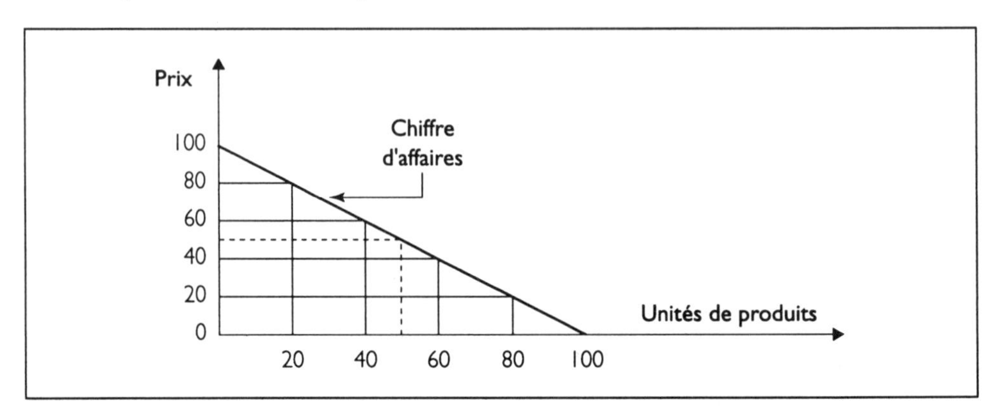

- par l'approche classique (en pointillé sur le graphique) le prix serait fixé à 50, correspondant à 50 ventes pour générer un chiffre d'affaires de 2 500 (50×50), en effet, pour un prix de 40, nous obtiendrions un chiffre d'affaires de 2 400 (40×60 unités) de même que pour un prix de 60, nous obtiendrions 2 400 (60×40 unités), le prix unique de 50 maximise le chiffre d'affaires à 2 500.

- par l'approche de revenue management (en traits pleins sur le graphique) avec un prix différencié, nous pourrions obtenir dans une tarification à quatre niveaux (80.60.40 et 20) le chiffre d'affaires de 8 000 (80×20 unités + 60×40 unités + 40×60 unités + 20×80 unités). Cette augmentation est due à la tarification différenciée qui augmente le nombre de clients potentiels ; et si ce potentiel n'était atteint que de moitié, l'opération serait encore intéressante avec un chiffre d'affaires de 4 000 (80×10 unités + 60×20 unités + 40×30 unités + 20×40 unités). Ce résultat a été obtenu grâce à une segmentation du marché et à une tarification flexible.

B. Principes et conditions d'application

La démarche de revenue management doit prendre en compte cinq principes :

1. La segmentation du marché :

l'entreprise doit considérer son marché comme la somme de micro-marchés identifiant des groupes distincts de consommateurs en terme de comportement qui seront traités par l'entreprise avec un marketing mix spécifique. Un hôtel pourrait segmenter sa clientèle en fonction du type de déplacement : hommes d'affaires, congrès et expositions, touristes... Une banque peut segmenter sa clientèle particulière en jeunes ménages, étudiants, retraités... et leur proposer une tarification spécifique sur ses services.

2. La politique de prix :

elle sera forcément différenciée et adaptée à chaque segment, elle devra de plus évoluer en fonction de la demande. Un parc d'attraction pratiquera des prix élevés pour les familles en week-end et accordera des réductions aux groupes scolaires en semaine du fait d'une fréquentation plus faible.

3. La prévision de la demande :

la prévision de la demande sur la base des historiques et des événements prévisibles, permettra d'évaluer la taille des segments et les prix que chaque segment sera susceptible d'accepter. En vente par correspondance, les premières commandes reçues après la sortie d'un catalogue permettront d'anticiper la demande et d'adapter la politique de prix. Il en est de même pour un tour opérator qui pourra ajuster son offre en fonction des premières réservations.

4. La gestion des stocks :

quand l'activité de l'entreprise consiste à vendre des produits périssables, il faut minimiser les invendus, il en est de même pour un hôtel dont une chambre vide est perdue pour toujours. En revanche, remplir un avion ou un bus de tourisme avec des billets bradés alors que des clients de dernière heure sont prêts à payer le tarif fort, revient à perdre de l'argent.

5. Réservation, pré-ventes, ventes anticipées :

la négociation prend ici toute son importance tant pour répondre à la demande que pour proposer des produits différents (en fonction de la disponibilité affectée au contingent du client) et même pour transférer la demande vers une autre proposition. Dans une centrale de réservation hôtelière, il pourra être proposé au client un autre type d'hôtel même si celui demandé n'est pas encore plein. Ce principe remet en cause la vente « premier arrivé, premier servi », il est juste alors de refuser une vente à un client pour la réserver à un autre susceptible de payer plus cher.

Ces cinq principes entraînent des conditions qui font que le revenue management s'appliquera mieux à certaines entreprises qu'à d'autres :
– des produits périssables ou une demande cyclique
– des charges fixes élevées et des charges variables faibles
– une capacité rigide
– des ventes anticipées du produit

À partir de ces caractéristiques sectorielles, une démarche de revenue management va être plus ou moins recommandée, le tableau ci-dessous applique la démarche au secteur du tourisme :

Secteurs	Produits périssables	Charges fixes élevées	Capacité rigide	Ventes anticipées	Démarche de revenue management
Hôtel Compagnie aérienne Croisière Location voiture Transport ferroviaire	OUI	OUI	OUI	OUI	Très applicable
Centre de congrès Tour opérators	OUI	OUI	+ OU –	+ OU –	Assez applicable
Théâtre, cinéma, musée, parc de loisirs	NON	NON	NON + OU –	+ OU –	Moyennement applicable
Agence de voyages	NON	NON	NON	+ OU –	Peu applicable

Comme on vient de le voir, la recette consiste à s'adapter à la demande afin de savoir quand il faut baisser un prix et quand profiter de vendre plus cher.

Pour ce faire, la connaissance précise de la demande (en volume et en temps) est nécessaire, c'est ce qui nécessite le plus d'investissement. Il faut donc disposer d'informations, multiplier les observations, les compiler et les analyser afin de prévoir ce que recherche le client et aller jusqu'à sélectionner les bons clients pour l'entreprise, c'est-à-dire ceux qui rapportent le plus à un moment donné pour un produit donné à un prix donné. L'entreprise y gagne car elle augmente ses gains et le client est satisfait car il obtient ce qu'il désire. On a pu constater que les entreprises qui ont adopté cette démarche ont vu leur chiffre d'affaires augmenter de 5 % alors que leur résultat pouvait augmenter de 25 à 50 %.

Le système de segmentation et de prévision des ventes n'est pas une chose évidente, aussi des cabinets de conseil ont mis sur le marché des programmes de revenue management qui automatisent la démarche après que la base de donnée eut été construite, les coûts de tels programmes sont à la baisse et valent en moyenne 100 000 F (environ 15 000 euros), un tel investissement doit naturellement être accompagné d'une formation importante du personnel de l'entreprise en terme de technicité mais aussi de culture.

C. Mise en application chez ACCOR

Pour optimiser la rentabilité d'une offre qui ne varie pas par rapport à une demande qui fluctue, le groupe hôtelier se lance dans le « revenue management ». Accor s'est doter d'un nouveau système de réservation qui permettra de connaître, en temps réel, les disponibilités des 187 268 chambres qu'il gère aux quatre coins du monde et des 91 877 situées dans l'Hexagone.

Cette nouvelle approche procède de l'ingénierie des ventes. En s'appuyant sur un historique des ventes, on arrive à faire des prévisions d'occupation des hôtels et définir des stratégies de vente, ou des stratégies marketing pour, in fine, optimiser le revenu hôtelier (15,8 milliards de francs de CA en 1996). Chaque directeur d'hôtel pratiquait déjà de la sorte pour son propre établissement. Mais il va désormais devoir penser en terme de « place ».

En effet, Accor est passé d'une organisation par marque à une organisation multimarques, et ainsi supprime la concurrence entre Novotel, Sofitel, Mercure, Ibis et les autres enseignes du groupe. La gestion des réservations ne se fera plus au niveau d'un établissement, mais d'un site géographique ou « place » qui regroupera en moyenne dix hôtels.

Trois sites pilotes testent la nouvelle organisation :
- Strasbourg : (vingt hôtels)
- Bruxelles
- Paris-Sud

Pour développer cette nouvelle politique, le groupe crée des postes de « revenue manager » qui auront pour mission de gérer les réservations de ses 160 places européennes (dont 80 à 100 en France). *« Ce poste demande à la fois des compétences pointues pour réaliser des analyses complexes, mais aussi une grande diplomatie pour amener ses interlocuteurs à adhérer à ses recommandations car, contrairement à son homologue qui travaille dans une compagnie aérienne, le « revenue manager » Accor n'a pas de pouvoir de décision. C'est au directeur de l'hôtel qu'il revient de suivre ou non les préconisants »*, explique Évelyne Chabrot, directeur délégué des ressources humaines Affaires et Loisirs.

Et si l'on n'exclut pas chez Accor une période d'interrogation du côté des principaux intéressés, on pense que les résultats plaideront en faveur du nouveau système de réservation. Pour Évelyne Chabrot, *« la notion de service devrait se substituer aux rapports hiérarchiques »*.

III Évolution de la fonction commerciale

A. Résultats de l'enquête nationale des Dirigeants Commerciaux de France

Le mouvement des Dirigeants Commerciaux de France est composé de chefs d'entreprise ou de dirigeants ayant en charge, politique, stratégie commerciale et mise en œuvre des moyens commerciaux. Face aux mutations actuelles de notre économie et de ses différents marchés, le mouvement des Dirigeants Commerciaux de France a pour ambition d'être un élément moteur de l'optimisation des performances commerciales de l'entreprise.

Dans ce but, les Dirigeants Commerciaux de France :

– sensibilisent les chefs d'entreprise, afin que ces derniers considèrent la fonction commerciale comme stratégique, un véritable investissement à retour différé, et l'affaire de tous dans l'Entreprise ;

– participent à la réflexion sur la recherche et la mise en œuvre des méthodes et outils de productivité commerciale ;

– diffusent les résultats de ces recherches et expérimentations auprès des publics concernés ;

– assurent dans les établissements d'enseignement la promotion de la fonction commerciale afin d'inciter un nombre croissant de jeunes à choisir cette voie ;

– mettent tout en œuvre pour valoriser l'utilité économique de l'action commerciale auprès du public.

Pour atteindre ces objectifs, le mouvement des Dirigeants Commerciaux de France multiplie les actions ; en particulier avec une enquête nationale lancée au milieu des années 90 sur « l'évolution de la fonction commerciale ».

L'objectif de cette étude était à la fois de valider et de compléter les travaux de réflexion et d'analyse engagés par les associations du mouvement autour du thème *« Quel commercial demain ? »*

Le questionnaire de 30 items a été élaboré par le Comité Exécutif des Dirigeants Commerciaux de France et la Société Audimark autour de cinq thèmes :

1. Les métiers de la vente
2. L'évolution de la fonction commerciale dans l'entreprise
3. Le management des forces de vente
4. Le profil des vendeurs
5. La productivité commerciale

Évolution de la fonction commerciale – Enquête des Dirigeants Commerciaux de France

Nous assistons actuellement à des évolutions très importantes de la fonction commerciale dans nos entreprises.
Ces évolutions se matérialisent principalement par une trentaine d'actions que nous avons identifiées et que nous vous proposons ci-dessous en vous demandant de répondre à la question suivante :

« Quel est aujourd'hui le niveau de réalisation de chacune de ces actions dans votre entreprise ? »

Pour répondre à cette question, nous vous proposons d'appliquer la règle du jeu suivante :

– *Action* effectivement mise en œuvre	X						
– *Décision* de principe prise, sans mise en œuvre		X					
– *Sujet* actuellement envisagé			X				
– *Idée* possible mais non envisagée actuellement				X			
– *Idée* exclue pour le moment					X		
– Je *ne sais pas* répondre						X	
– Je *ne veux pas* répondre							X
1. Utilisation par nos commerciaux d'une méthode structurée d'analyse des besoins de nos clients							
2. Augmentation de la part de chiffre d'affaires réalisé pour l'utilisation du marketing direct (mailing, fax, téléphone…)							
3. Action pour amener les responsables commerciaux à être davantage présents sur le terrain avec leurs équipes							
4. Équipement de nos commerciaux pour être en communication permanente avec l'entreprise (téléphone portable, téléphone voiture, messagerie…)							
5. Recentrage de toute notre organisation autour des nécessités de la fonction vente							
6. Développement des compétences « produits » de nos commerciaux dans notre secteur d'activité							
7. Système de rémunération de nos commerciaux prenant en compte davantage d'aspects qualitatifs (qualité des portefeuilles, rapports de visites, études de satisfaction clients…)							
Développement des investissements dans les nouvelles technologies (téléconférence, vidéoconférence…) pour faciliter la communication :							
08. de notre entreprise avec sa force de vente							
09. de notre force de vente avec les clients							
10. Orientation de nos commerciaux vers la vente de services, additionnels aux produits et services de base							
11. Accroissement du nombre de vendeurs bilingues dans notre force de vente							
12. Développement des formes de vente à temps partiel et temps partagé							

13. Accord de partenariat formalisé avec nos clients pour mieux anticiper leurs besoins							
14. Développement du rôle stratégique de chacun de nos commerciaux dans la remontée des informations pertinentes sur le marché de nos concurrents							
15. Réduction du nombre de niveaux hiérarchiques dans notre structure commerciale							
16. Tendance à l'utilisation par les vendeurs de l'outil informatique (micro-portable, Minitel...) pour les prises de commande et transfert sur le système d'information de l'entreprise							
17. Élargissement de la fonction vente-terrain à des non-commerciaux (secrétaires, techniciens, magasiniers)							
18. Élargissement de la responsabilité de chaque commercial pour devenir le véritable gestionnaire de son secteur de vente							
19. Système de rémunération de nos commerciaux prenant en compte la marge dégagée par chaque vendeur							
20. Mise en place d'un outil informatique et de communication pour un contrôle permanent de l'activité des vendeurs (tournées, rapport de visites...)							
21. Politique commerciale privilégiant la fidélisation de nos clients, par rapport au chiffre d'affaires uniquement à court terme							
22. Développement de la compétence de nos commerciaux dans le métier de leurs clients							
23. Utilisation plus importante des forces de vente extérieures à l'entreprise (VRP, Agents Commerciaux...)							
24. Utilisation de l'échange de données informatiques (EDI) avec les clients et fournisseurs dans une perspective zéro papier							
25. Existence et exploitation d'un outil d'évaluation permanente de la satisfaction de nos clients							
26. Organisation de l'entreprise autour d'un système informatique de gestion globale du client pour améliorer le cycle : prise de commande – production – livraison client							
27. Recrutement et formation de nos commerciaux sur la base d'une éthique commerciale, donc de la capacité à servir et respecter nos clients							
28. Décentralisation auprès de chaque vendeur des informations marketing et commerciales concernant son activité, grâce à l'outil informatique.							
29. Réduction des effectifs de nos commerciaux							
30. Obligation croissante de nos commerciaux à travailler en équipe avec les autres services de l'entreprise, dans une relation client-fournisseur interne							

Les résultats de l'enquête

1. Les métiers de la vente

Deux items recueillent ici une large majorité d'accords (plus de 73 % des accords) sans qu'apparaisse d'ailleurs de différence significative par taille d'entreprise ou par secteur d'activité... Il s'agit dans l'ordre :

- *du développement du rôle stratégique de chacun de nos commerciaux dans la remontée des informations pertinentes sur le marché et nos concurrents (14)* ;
- *du recrutement et de la formation de nos commerciaux sur la base d'une éthique commerciale, donc sur la capacité à servir et respecter nos clients (27).*

Un moindre score en revanche (62 % d'accord) apparaît pour *l'augmentation de la part de chiffre d'affaires réalisée par l'utilisation du marketing direct (02)*, les services et les entreprises vendant aux particuliers étant largement en avance sur cet item par rapport au secteur industriel d'une part et aux sociétés commercialisant leurs produits auprès de distributeurs et de revendeurs d'autre part.

Même résultat contrasté pour *l'orientation de nos commerciaux vers la vente de services additionnels aux produits et services de base (10)*. Sur cet item, ce sont en effet les grandes entreprises de plus de 500 salariés qui creusent l'écart, ainsi que les secteurs de la distribution et des services, ou les entreprises commercialisant leurs produits auprès de particuliers et d'entreprises. En revanche, les entreprises de petite taille, l'industrie et les entreprises vendant à travers des distributeurs-revendeurs ont un score légèrement inférieur sur cet item.

Enfin, *l'élargissement de la fonction vente à des non-commerciaux (17)* ne recueille, toutes catégories confondues, que 49 % d'accord, ce qui est assez faible. Il semble ici que les petites entreprises soient plus favorables à cette action que les grandes. De même, l'idée est mieux acceptée dans les univers de la distribution ou des services, par opposition à l'industrie, plus en retrait.

Sont enfin plus hostiles à cette idée, les entreprises commercialisant leurs produits par l'intermédiaire distributeurs-revendeurs.

2. L'évolution de la fonction commerciale

Le consensus le plus fort entre les différents répondants (73 % d'accord) apparaît ici autour de l'existence d'une *politique commerciale privilégiant la fidélisation du client par rapport au CA à court terme (21).*

Suivent trois actions assez bien positionnées (50 % d'accord) qui sont dans l'ordre :

- *l'utilisation par nos commerciaux d'une méthode structurée d'analyse des besoins (01)*, sachant que l'accord se révèle ici beaucoup plus important chez les grandes entreprises de plus de 500 salariés ;

- *le recentrage de toute notre activité autour des nécessités de la fonction vente (05)*, cette action étant cependant davantage le fait des entreprises de distribution et de services que de l'industrie ;

– *l'existence d'accords de partenariat formalisés avec nos clients pour mieux anticiper leurs besoins (13)*, les services et surtout l'industrie ayant logiquement sur cet item beaucoup plus d'accord que la distribution.

3. Le management des vendeurs

En matière de management, trois items, avec un score allant de 67 à 83 % d'accord, emportent l'adhésion de la majorité des répondants.

Il s'agit en premier lieu de *l'obligation croissante de nos commerciaux à travailler en équipe avec les autres services de l'entreprise (30)*. Aucun écart significatif entre les différentes catégories de répondants. À noter que cet item est celui enregistrant le plus fort pourcentage d'accord sur les trente que comprend le questionnaire.

Il s'agit ensuite de *l'existence d'une action visant à amener les responsables commerciaux à être davantage présents sur le terrain avec leurs équipes (03)*. Seules les entreprises de moins de 50 salariés ont un score moins élevé sur cet item.

Il s'agit enfin de la *réduction du nombre de niveaux hiérarchiques dans notre structure commerciale (15)*. Aucun écart significatif entre les différentes catégories de répondants.

Résultat plus mitigé en revanche (32 à 44 % d'accord seulement) pour les deux items touchant au système de rémunération.

La mise en place *d'un système de rémunération prenant en compte la marge dégagée par chaque vendeur (19)* semble moins tenter les grandes entreprises de plus de 500 salariés. En revanche, les entreprises de distribution y adhèrent davantage que les services et surtout que l'industrie, très en retrait sur cet item. De même, c'est dans la vente aux entreprises, plus que dans celle aux particuliers, que l'idée semble la mieux acceptée.

Quant à l'idée d'un *système de rémunération des commerciaux prenant en compte davantage d'aspects qualitatifs (07)*, elle est davantage le fait des entreprises moyennes, et plutôt dans les services. Et contrairement à l'item précédent, elle remporte un score d'accord supérieur lorsque l'entreprise s'adresse à une clientèle de particuliers.

Enfin, on peut parler d'un véritable « consensus contre » (moins de 19 % d'accord), à savoir une hostilité marquée de la majorité des répondants pour deux items.

L'utilisation plus importante de forces de vente extérieures à l'entreprise (23), tout d'abord, est exclue pour la plupart des personnes interrogées, bien que celles appartenant à des entreprises de moins de 50 salariés aient voté de façon légèrement plus favorable sur cet item.

Il en est de même du *développement des formes de vente à temps partiel et temps partagé (12)*, où les petites entreprises semblent plus favorables. Hostilité encore plus marquée que la moyenne en revanche du côté de l'industrie et des entreprises commercialisant leurs offres par l'intermédiaire de revendeurs-distributeurs.

4. Les profils des vendeurs

Concernant le profil des vendeurs, *le développement des compétences « produits » de nos commerciaux dans notre secteur d'activité (06)* obtient un score élevé de plus de 75 % d'accord, toutes tailles d'entreprises confondues. La tendance semble cependant légèrement plus marquée dans l'univers de la distribution ainsi que dans le cas des entreprises vendant à des particuliers.

Bon score également (69 % d'accord), et toutes catégories de répondants confondues, pour *l'élargissement de la responsabilité de chaque commercial pour devenir le véritable gestionnaire de son secteur de vente (18).*

Le développement de la compétence de nos commerciaux dans le métier de leurs clients (22), avec moins de 55 % d'accord, semble emporter une moindre adhésion, cette idée semble davantage acceptée et mise en œuvre par des entreprises vendant par l'intermédiaire de revendeurs-distributeurs.

Faible encore en revanche (moins de 15 % d'accord) pour *l'accroissement du nombre de vendeurs bilingues dans notre force de vente (11)*, bien que les entreprises de plus de 100 salariés présentent un profil très légèrement supérieur, de même que les entreprises industrielles.

Même réaction unanime de rejet face à la *réduction des effectifs de nos commerciaux (29)*, encore plus marquée cependant chez les entreprises vendant leurs produits et services aux entreprises ou par l'intermédiaire de distributeurs-revendeurs. A noter que c'est ce dernier item qui a obtenu le plus de désaccord sur l'ensemble des trente propositions du questionnaire.

5. La productivité commerciale

Quant aux outils de productivité commerciale, trois propositions obtiennent des scores proches de 50 %.

Il s'agit tout d'abord de *l'organisation de l'entreprise autour d'un système informatique de gestion globale du client (26)*, tendance qui semble plus fortement marquée dans le cadre des entreprises industrielles.

Très logiquement, *la mise en place d'un outil informatique et de communication pour un contrôle permanent de l'activité des vendeurs (20)* présente un écart significatif entre d'une part, les entreprises de moins de 50 salariés, moins d'accord que la moyenne, et d'autre part les plus de 500 salariés, nettement plus d'accord. On retrouve aussi un écart important entre les entreprises de distribution, qui apparaissent nettement plus informatisées sur le terrain que les entreprises industrielles.

Tendances identiques enfin, pour la *décentralisation auprès de chaque vendeur, grâce à l'outil informatique, des informations marketing et commerciales concernant son activité (28)*, qui semble être davantage le fait des entreprises de plus de 500 salariés et en priorité du secteur de la distribution.

Avec 32 % d'accord, deux propositions occupent une place intermédiaire.

Il s'agit tout d'abord de *l'équipement de nos commerciaux en téléphone portable, téléphone voiture ou messagerie pour leur permettre d'être en communication permanente avec l'entreprise (04).* Très curieusement, ce sont les plus petites (moins de 50) et les plus grandes entreprises (plus de 500 salariés) qui apparaissent comme les plus en retrait sur cet item, ainsi que les entreprises vendant à des particuliers. En revanche, les entreprises industrielles et celles revendant par l'intermédiaire de distributeurs s'y révèlent plus favorables que la moyenne.

La deuxième proposition intermédiaire est celle évoquant *la tendance à l'utilisation par les vendeurs de l'outil informatique pour les prises de commande et transfert sur le système d'information de l'entreprise (16).* Ici, un écart manifeste se creuse entre d'une part, les entreprises de moins de 50 salariés, très en retrait sur cette idée, et les plus de 100, qui y sont davantage favorable. À noter que l'écart se creuse encore davantage au-delà de 500 salariés. Légèrement plus d'accord dans les services que dans l'industrie, cet item obtient en outre un score supérieur à la moyenne dans la vente aux particuliers et inférieur dans la vente aux entreprises.

Trois propositions enfin, n'ont obtenu qu'un très faible score d'accord, aux environs de 15 %.

Celles tout d'abord concernant *l'éventuel développement des investissements dans les nouvelles technologies pour faciliter la communication de notre entreprise avec sa force de vente (08) ou de notre force de vente avec les clients (09).* On retrouve pour ces deux items, le type d'écart rencontré précédemment entre les entreprises de moins de 100 et celles de plus de 500 salariés, les premières se situant en dessous de la moyenne (déjà faible) et les secondes au dessus.

Une troisième et dernière proposition enfin, ne recueille qu'un faible pourcentage d'accord, celle de *l'utilisation de l'échange de données informatiques (EDI) avec les clients et fournisseurs dans une perspective zéro papier (24).* Là aussi, les entreprises de plus de 500 salariés ont un score significativement supérieur à la moyenne.

Éléments de synthèse

1°) Tous résultats confondus, sept items arrivent donc en tête avec un niveau de résultat assez proche, toujours supérieur à 70 % d'accord (action mise en œuvre ou décision de principe prise). Il s'agit, par ordre décroissant d'accord :

1. de l'obligation croissante de nos commerciaux à *travailler en équipe avec les autres services* de l'entreprise dans une relation client-fournisseur interne (30) ;

2. du développement des *compétences « produits »* de nos commerciaux dans notre secteur d'activité (06) ;

3. d'une politique commerciale privilégiant la *fidélisation de nos clients*, par rapport au CA uniquement à court terme (21) ;

4. du développement du *rôle stratégique* de chacun de nos commerciaux dans la remontée des informations pertinentes sur le marché et nos concurrents (14) ;

5. du recrutement et de la formation de nos commerciaux sur la base d'une *éthique commerciale*, donc sur la capacité à servir et respecter nos clients (27) ;

6. de l'action pour amener les responsables commerciaux à être *davantage présents sur le terrain* avec leurs équipes (03) ;

7. de l'élargissement de la responsabilité de chaque commercial pour devenir le véritable *gestionnaire de son secteur de vente (18)*.

À noter en outre, que l'item concernant la *réduction du nombre de niveaux hiérarchiques* dans notre structure (15) comprend lui aussi une très forte proportion d'accord et ne doit donc son 11e rang au classement général qu'au niveau important de « je ne sais pas ».

2°) En revanche, sept autres items enregistrent un fort taux de rejet, avec des scores au delà de 75 % (idée possible mais non envisagée actuellement ou idée exclue). Il s'agit, par ordre croissant :

1. du développement des investissements dans les *nouvelles technologies* (télé-conférence, vidéo-conférence...) pour faciliter la communication de *notre entreprise avec sa force de vente* (08) ;

2. l'utilisation plus important de *forces de vente extérieures à l'entreprise* : VRP, agents commerciaux (23) ;

3. l'utilisation des *échanges de données informatiques* (EDI) avec les clients et fournisseurs dans une perspective zéro papier (24) ;

4. l'accroissement du nombre de *vendeurs bilingues* dans *notre force de vente* (11) ;

5. du développement des investissements dans les *nouvelles technologies* (télé-conférence, vidéo-conférence,...) pour faciliter la communication de notre force de vente avec les clients (09) ;

6. du développement des formes de *vente à temps partiel et temps partagé* (12) ;

7. de la *réduction des effectifs* de nos commerciaux (29).

B. La vente et les vendeurs à l'horizon 2005

(par Philippe Gabilliet – Porte-parole du mouvement des DCF))

Philippe Gabilliet en tant que membre du comité exécutif national des Dirigeants Commerciaux de France, a été l'artisan principal de l'enquête nationale de DCF, il nous fait part dans les pages qui suivent de sa vision de la vente et des vendeurs à l'horizon 2005 :

« De quoi demain sera-t-il fait en matière commerciale ? » Personne bien sûr ne peut répondre de façon certaine à cette question. Mais s'il est une chose certaine, dans l'univers de la vente,

c'est que nous n'aurons en 2005 que les commerciaux que notre société aura elle-même créés. De même que nos entreprises ne garderont que les commerciaux qu'elles auront su mériter.

Certes, cette invention du futur de la vente ne se fera pas sur du vide. Elle devra au contraire prendre en compte l'ensemble des paramètres. Car une prospective, même sectorielle, ne saurait être partielle. Elle est globale par définition, sachant que tous les aspects de notre futur se mêleront et inter-agiront demain dans les différents domaines.

Or, nous savons aujourd'hui quelles seront les principales tendances dont notre environnement de demain sera l'héritier. Mondialisation, montée des technologies, vieillissement démographique, accroissement des risques écologiques, mutations du travail et des styles de vie quotidienne sont d'ores et déjà inscrits dans le Grand Programme du futur.

Pour ce qui est du vendeur de demain, nous pouvons donc entrevoir dès à présent un certain nombre de caractéristiques de fond qui seront les siennes, portées et supportées par les évolutions globales de la société future. Ces caractéristiques touchent à la fois sa dimension dans l'entreprise, ses métiers et son profil professionnel.

Le commercial de 2005 ne se comprendra tout d'abord que dans la proximité. Tout concourra demain à rapprocher les commerciaux de leurs clients potentiels, que ce rapprochement soit physique (îlotage commercial) ou électronique (télé-suivi).

Le commercial de 2005 sera de même un acteur économique culturellement métissé. Du fait du grand brassage à venir entre les vendeurs, les techniciens et les administratifs, chacun aura désormais un rôle commercial à jouer et devra porter en lui, une partie de la culture des autres.

Le commercial de 2005 sera aussi foncièrement écologique au sens philosophique du terme. Est écologique « celui qui, dans son action de tous les jours, porte intérêt à son milieu naturel ». L'état d'esprit du commercial écologique le conduira donc à respecter encore davantage son milieu naturel qu'est l'environnement-client, à optimiser les ressources mises à sa disposition sans les gaspiller, et à penser en permanence à l'avenir de son territoire et de ses marchés.

Le commercial de 2005 fonctionnera en réseau. Les francs-tireurs individualistes perdront du terrain dans la plupart des secteurs et les vendeurs de demain ne réussiront que par leur capacité à travailler avec les autres.

Le commercial de 2005 sera de même, beaucoup plus qu'aujourd'hui, un carrefour stratégique. Sa position de capteur d'informations continuera de s'affirmer et l'entreprise attendra de lui qu'il fournisse en permanence du « savoir » supplémentaire sur les clients, les marchés et la concurrence.

Mais le commercial de 2005 sera surtout, demain comme hier, un citoyen de son temps. À ce titre, les valeurs clés de son époque seront aussi les siennes. On peut ainsi en déduire, compte tenu de tendances déjà à l'œuvre, que son désir d'équilibrer sa vie professionnelle et sa vie privée se renforcera, qu'il sera de plus en plus un sédentaire-nomade sensibilisé aux possibilités du travail à distance ou que sa mentalité de « zappeur social » pourra parfois remettre en cause sa fidélité à l'entreprise...

IV Croiser les compétences des entreprises

A. Le co-branding

La gestion des marques a été longtemps un problème débattu avec l'apparition des marques de distributeurs. En terme de riposte, certaines marques nationales se sont regroupées pour mettre sur le marché des produits en commun. Si cette méthode de co-branding a été utilisée au départ en riposte aux marques de distributeurs, elle a trouvé aujourd'hui des développements qui en font une approche du marché à part entière.

Il s'agit d'une alliance ponctuelle entre deux marques, en vue de lancer sur le marché des produits bimarque ou à double marquage. Pour ce faire, il faut que les deux marques qui se rapprochent ne soient pas concurrentes et aient pour objectif de fournir la meilleure réponse à l'attente du marché soit pour occuper un créneau, soit pour rentrer sur un marché.

On peut citer le cas de Mercedes et Swatch sur le projet de la Swatchmobile ou de Häagen-Dazs le glacier haut de gamme américain, avec les whiskies Baileys pour lancer des sorbets parfumé à la crème de whisky irlandaise.

Une telle démarche implique de bien cerner les intérêts des deux parties afin de bien définir ce que chacun recherche : amélioration d'image, augmentation de la notoriété, pénétration de marché, « plus » technologique...

Il est bien évident que la double caution des marques rassure le consommateur et valorise le produit. Mais attention, il existe de « faux co-branding » : la marque Citroën commercialise dans son réseau un liquide hydraulique minéral LHM sous sa marque, on retrouve le même produit LHM en station service sous la double marque Total et Citroën du fait d'un accord entre le constructeur et le pétrolier. Or, on a vu apparaître dans le réseau des distributeurs indépendants, un produit LHM dans le même conditionnement sous la marque Igol et Citroën, et ce, sans accord du constructeur. Igol a consenti à modifier la forme du bidon, mais sans retirer la marque Citroën. Une nouvelle menace de poursuite a finalement obligé Igol à vendre son liquide LHM sous son propre nom.

Cette histoire nous laisse à penser que le co-branding doit être un bon accélérateur des ventes. Parmi les succès du co-branding, citons Nestlé avec Disney pour concurrencer Kinder sur le marché des boules surprise en chocolat et Heinz et Tabasco pour le lancement d'un Ketchup épicé.

Le co-branding peut être envisagé avec des marques co-gérées par un fabricant et un distributeur, dans ce cas, ils vont collaborer pour concevoir, lancer et gérer une marque, ce qui implique :

– la co-définition du cahier des charge de la gamme de produits en terme de :
  • cible sur la base des indications conjointes du distributeur et du producteur,
  • positionnement de la gamme de produits,
  • mode de présentation, conditionnement ;
– le co-développement du produit ;
– le co-engagement sur les volumes, les prix, les implantations ;
– la co-décision des actions commerciales (promotion, communication) ;
– et cela va jusqu'au partage du profit ou de la perte.

Cette démarche doit faire émerger une nouvelle génération de marques où producteurs et distributeurs sont clairement identifiés par le consommateur, ce qui aboutit à dire par exemple :

– la marque X et l'enseigne Y présentent…
– la marque X pour l'enseigne Y
– une création XY avec co-signature

… et où ils apportent leur caution conjointe au consommateur.

Ces nouvelles marques doivent être porteuses de plus de sens, particulièrement en termes d'achats pour le consommateur.

B. Le benchmarking

Des cadres de chez 3M vont visiter la société vépéciste AllanBean, dans le but d'améliorer leur propre système de prise de commande.

Cette démarche peu commune fait partie d'une approche benchmarking qui peut se définir comme étant la recherche et l'utilisation des savoir-faire d'entreprises à la pointe dans un type donné d'opérations. En effet, pourquoi ne pas s'inspirer des entreprises performantes dans un domaine spécifique ?

S'il s'agit d'un concurrent, vous pouvez le prendre en référence mais il est peu probable qu'il vous communique son mode opératoire, vous allez donc tenter de comprendre (benchmarking concurrentiel). En revanche, vous pouvez très bien vous rapprocher d'une entreprise évoluant dans un univers différent mais affrontant des problèmes similaires aux vôtres (benchmarking fonctionnel).

Certaines grandes entreprises peuvent même s'inspirer de leur expérience personnelle. En effet, la démarche peut être appliquée entre différentes usines ou départements d'un groupe (benchmarking interne).

De même que plusieurs types d'organisation peuvent être pris comme « modèles », les domaines sur lesquels peuvent porter les comparaisons sont multiples. Il peut s'agir de produits ou services de l'entreprise (qualité, prix de revient,...), d'éléments financiers (trésorerie, frais généraux...), de logistique (circuit des commandes, transport, délai...), ou des processus de fabrication.

La méthode permet de déceler les méthodes les mieux adaptées pour augmenter l'efficacité de l'entreprise. C'est aussi un bon moyen pour améliorer l'efficacité des entités, favoriser l'échange d'information, d'expériences et de savoir-faire, tout en encourageant la généralisation des meilleures pratiques et en étant un moteur d'innovation.

La mise en œuvre se déroule en six étapes :

- sélectionner le produit, le service ou le processus à améliorer,
- choisir les critères de mesure des performances,
- choisir les entités qui serviront de points de comparaison (concurrents, entreprises d'autres secteurs, départements internes au groupe),
- récupérer les informations sur les performances et les méthodes utilisées,
- analyser les données pour déceler les opportunités d'amélioration des performances,
- transposer et adapter les améliorations sélectionnées.

C. Le time to market

Ce n'est pas à proprement parlé une méthode de gestion mais plus un état d'esprit qui consiste à réduire le temps de réponse, aux demandes du marché et à ses évolutions.

Sur le plan méthodologique, il est fait appel à toute une batterie d'outils tels que les flux tendus pour la production, les équipes projet pour les développements, la réduction du nombre de niveaux hiérarchiques pour la prise de décision.

Le time to market consistera donc à mettre en tête des priorités de l'entreprise, la réduction des délais, de tous les délais. La réactivité de l'entreprise sera donc stimulée dans tous les domaines, la maîtrise du temps étant la clé de la performance de l'entreprise.

« L'entreprise doit donner au client ce qu'il veut, au moment où il le veut et non plus tard, sinon la concurrence le fera » Louis Schweitzer, PDG de Renault.
Cette phrase met en avant le fait que même si le client met plusieurs mois pour réfléchir son achat, au moment de sa décision, il le voudra sans délai. Si, sur le plan commercial, cette attitude s'explique, elle est aussi bien fondée lorsqu'il s'agit de la production où la réduction des délais de fabrication est en relation directe avec les coûts.

Dans le cadre du développement de produits nouveaux, la réduction des délais se justifie afin de ne pas prendre de retard par rapport à la concurrence. Cette attitude va jusqu'à considérer qu'il faut lancer les produits sans perte de temps en études de marché lourdes surtout sur les produits où la technologie évolue vite, car seules les entreprises capables de s'adapter rapidement à cette évolution technologique peuvent gagner des parts de marché, quitte à prendre des risques.

En effet, les adeptes du time to market considèrent que mettre un produit sur le marché avant ses concurrents est un avantage concurrentiel déterminant.

Le time to market s'appuie sur la suppression des temps d'attente entre les différentes phases de réalisation d'un processus, la suppression des opérations inutiles ou sans valeur ajoutée et l'accélération des prises de décision.

Conclusion

Nous espérons vous avoir aidé à mieux comprendre les mutations en cours et leurs implications sur les évolutions nécessaires de la pratique du marketing dans les entreprises.

Mais l'histoire s'accélère : les produits peu innovants, les gammes de produits pléthoriques, les marques insignifiantes disparaissent et l'innovation agite à nouveau la plupart des secteurs économiques : automobile (Smart, Beetle), informatique (iMac), distribution (émergence du commerce électronique), télécommunications (explosion du marché des portables)...

Confrontées à la naissance du Village Global cher à Mc Luhan (marché et concurrence mondiale, économie du temps réel) et à l'exigence du consommateur de bénéficier d'un service personnalisé et irréprochable, les entreprises expérimentent chaque jour de nouvelles pratiques...

La morale de cette histoire ?

Rien n'est certain, tout peut être remis en cause sans cesse.

Les années à venir promettent d'être excitantes...

Restez connectés ; =)

Dominique Billon
billon@esc-bordeaux.fr

Jean-Michel Tardieu
Ecoledcf@unimédia.fr

Bibliographie

Articles

Les nouveaux visages du marketing. Jean-François Boss, Revue Française du Marketing - n° 164 - 1997/4

Le marketing direct interactif : marketing du 21e siècle ? Philip Kotler, Bernard Dubois, Revue Française du Marketing - n° 164 - 1997/4

Merkator : fluctuat nec mergitur. Brice Auckenthaler, Pierre D'Huy, Revue Française du Marketing - n° 164 - 1997/4

Questions de prix. Christian Dussart. Décisions Marketing n° 6, septembre 1995

La veille sur Internet. Dominique Billon, extrait du CD-ROM Stratèges produit par le Groupe ESC Bordeaux et diffusé par Hachette, 1998.

Distribution, le défi mondial des bas prix, Marc Dupuis in Décisions Marketing n° 6, septembre-décembre 1995.

Les intermédiaires sont-ils condamnés ? Jean-Michel Billaut. Le journal de l'Atelier, n° 52/53, octobre-novembre 1997

Le capital marque en question. Emmanuelle Delfour, Connaissance et Action, Publication du Groupe ESC Bordeaux, n° 1, mai 1996.

Gestion marketing, marketing stratégique et risque commercial. Jean-François Trinquecoste. Connaissance et Action, Publication du Groupe ESC Bordeaux, n° 2-3, novembre 1996.

L'entreprise étendue : apports de l'Activity Based Costing Application à l'Efficient Consumer Response. Michel Baldellon, Logistique et Management, vol 4, n° 2, 1996.

Le nouveau sens de la marque. R. Degon. Harvard l'Expansion, Hiver 1993.

Bernard Magrez, le french paradoxe, in Revue Vinicole Internationale, janvier 1997.

Spiritueux, développez votre patrimoine de marque ! in La Revue des marques, avril 1997.

Critères d'achat. Biens durables : la marque déterminante. Marketing Magazine n° 18 - janvier-février 1997.

Kindy, le petit futé de la chaussette. Capital, n° 75, décembre 1997.

L'histoire secrète de la Smart. Capital, n° 75, décembre 1997.

Ne dites plus trade, parler d'ECR. CB News n° 400.

Les 7 erreurs qui font vaciller Mc Do. L'Essentiel du Management, n° 40, juin 1998.

Les prix sont tombés sur la tête. Le Nouvel Économiste n° 938, 25/03/94.

Le centime, avenir du cybercommerce. Jean-Louis Gassée, Rubrique Mutimédia de Libération, 1er mars 1996.

Les chroniques de Jean-Louis Gassée, Rubriques Multimédia de Libération, tous les vendredis, accessibles sur le Web : www.liberation.fr.

Les nouveaux faits de consommation à la loupe. L'œil de Cofinoga. 1997-1998, accessible sur le Web : www.cofinoga.com.

Deux publications de l'Atelier, le Club de veille technologique de la Compagnie Bancaire :
– La revue de presse quotidienne en ligne de l'Atelier,
– Le Journal de l'Atelier. Bimestriel.
Contact : 01 40 67 34 44.

Ouvrages

Dictionnaire du XXIe siècle. Jacques Attali. Fayard, 1998.

Lignes d'horizon. Jacques Attali, Fayard, 1990.

L'Art du Management. IMD International, London Business School, The Wharton School of the University of Pennsylvania, Pearsons Professional Limited et Editions Village Mondial, 1997.

Mythologies, Roland Barthes, Éditions du Seuil, 1957.

Le cybermarketing. Arnaud Dufour. PUF, Que sais-je ?, 1996.

La fin des marques. Philippe Villemus, les Éditions d'Organisation, 1996.

L'homme numérique. Nicholas Négroponte, Robert Laffont, 1995.

Marketing Management. Philip Kotler, Bernard Dubois. Publi-Union Éditions, 9e édition, 1997.

Mercator. Théorie et pratique du marketing. Jacques Lendrevie, Denis Lindon, Dalloz, 5e édition, 1997.

Action commerciale. Daniel Durafour, Dunod, 1994.

L'Internet et la Vente. Ouvrage collectif sous la direction de Jean-Paul Aimetti. Éditions d'Organisation, 1997.

Real Time, Preparing for the age of the never satisfied consumer. Regis Mc Kenna, Harvard Business School Press, 1997.

L'homme symbiotique. Regards sur le troisième millénaire. Joël de Rosnay. Seuil, Paris, 1995.

La planète cyber. Jean-Claude Guedon. Découvertes Gallimard, 1995.

La 3e pomme. Micro-informatique et révolution culturelle. Jean-Louis Gassée, Hachette, 1985.

Un pavé dans le marketing. Henri de Bodinat, Lattès, 1990.

Le lièvre et la tortue. Christian Blanc et Thierry Breton, Plon, 1994.

Le consommateur entrepreneur. Robert Rochefort, Éditions Odile Jacob, 1997.

Le travail après la crise. Bob Aubrey, InterÉditions, 1994.

L'avantage concurrentiel des nations. Michael Porter, InterÉditions, 1994.

Internet : le Guide. Dominique Billon, Jean-François Regnard, Top Éditions, 2e édition, 1998.

Les nouveaux pouvoirs. Savoir, richesse et violence à la veille du XXIe siècle. Alvin Toffler, Fayard, 1991.

GENCOD. Introduction à l'ECR - octobre 1995.

De Pepsi à Apple. John Sculley, Grasset, 1988.

Dans la même collection

Internet, le guide
D. Billon, J-F. Regnard

L'écriture de scénarios
J-M. Roth

Les techniques de gestion
J-M. Tardieu

Les courants économiques et leurs enjeux
E. Bosserelle

L'image de soi par la vidéo
Y. Bourron, J-P Chaduc, M. Chauvin

Achevé d'imprimer en novembre 1998
sur les presses de la Nouvelle Imprimerie Laballery
58500 Clamecy
Dépôt légal : novembre 1998
Numéro d'impression : 811007

Imprimé en France